D0480712

Une enfance en brousse congolaise

Du même auteur

La Vie secrète des bêtes dans les jardins et les maisons (Hachette).
Sauvons la Nature, source de notre vie (Dangles).
Le Parc zoologique de Clères (Nouvelles Éditions latines).
Des oiseaux dans la vie (Office général du Livre).
Nature, attention, poisons (Stock).
Lettres ouvertes aux assassins de la Nature (Stock).
Sauvons la mer (France Loisirs).
Bouquetins et chamois (Amis du Parc national de la Vanoise).

En collaboration :

Un monde fascinant, les animaux (Hachette).
La Science du paysage (spécial « Sciences et Avenir »).
Les Nouveaux Paradis (Livre de Paris).
Guide de la Nature en France (Bordas).

En préparation :

L'Emploi du temps de la Nature au long des mois (Nathan).

Ouvrages épuisés :

L'Afrique noire (ouvrage collectif).
Résurrection de Vaison-la-Romaine.
Des hommes parmi les oiseaux.
La Possession de l'Équateur (roman).
Où, quand, comment protéger les oiseaux.
L'Avant-Dernier Sommeil (roman).
A l'affût des bêtes libres, chasses photographiques (en collaboration avec Guy Dhuit).
Les Animaux astucieux.
Les Animaux chanteurs et bruiteurs.
Le Tracassin des environnés.
Le Calendrier mois par mois de la nature.

Une enfance en brousse congolaise

PIERRE PELLERIN

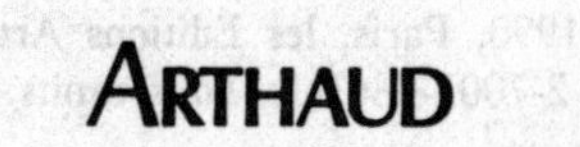

Les documents photographiques reproduits dans le cahier central proviennent de la collection personnelle de l'auteur.

ISBN 2-7003-0861-1.

A Charlotte et Marie,
une histoire de grand-père
qui, en l'écrivant,
replongea vers leur âge.

CHAPITRE I

L'accueil de M'Pouïa

Les premiers noms d'oiseaux que ma mémoire a gravés sont ceux du foliotocol et du merle métallique. Je les ai, pour ainsi dire, saisis au vol mais ce sont eux qui, jusqu'à ce jour, ne m'ont plus lâché. L'éclat de leurs couleurs ajoute à l'illumination de ces souvenirs de brousse congolaise restés gravés tels qu'ils se sont inscrits.

De ce que j'étais avant cette arrivée à M'Pouïa, je n'ai absolument rien retenu. Mais dès lors, tout a changé. J'ai su que je vivais en dehors du commun.

C'était en 1924, au royaume de Makoko, entre le deuxième et le troisième degrés de latitude sud. Le passage de Brazza venu traiter avec le souverain des Batéké en ce même pays remontait à une quarantaine d'années. Les gens du village équatorial où je débarquais étaient presque identiques à leurs ancêtres dans leur existence de chaque jour. J'avais eu quatre ans quelques semaines plus tôt. Nul gamin n'aurait pu connaître alors, dans le sillage de son anniversaire, voyage plus contrasté que celui qui m'avait conduit, en un mois, des bords de la douce Seine à ceux de l'extravagant Congo. Et je me retrouvais, seul enfant blanc dans un grouillement de négrillons nus que mon père me désignait pour compagnons, non point dans un semblant de ville mais à une longue traite en pirogue du premier poste disposant d'une modeste infirmerie.

Il avait fallu l'inaltérable optimisme paternel pour vaincre les réticences de la famille qu'affolait l'éventualité d'une crise d'appendicite aiguë. L'épreuve souveraine de la sélection naturelle m'était réservée comme une marque supérieure de confiance tandis que l'existence de la mouche tsé-tsé se révélait autour de moi.

Étais-je dépaysé ? Guère sans doute puisque les choses du passé se perdaient dans mon oubli. D'ailleurs, mon papa, que Bangangoulou, Bamboschi, Bakongo, Boubangui et Batéké appelaient Mondounga – un nom de leur pure invention – me présentait le plus naturellement du monde et sa brousse et son fleuve. Il le faisait sans verser dans le charabia exotique mais en assortissant son propos d'exemples époustouflants qui ne devaient rien à son imagination et tout au quart de siècle qu'il avait vécu dans l'intimité de l'Équateur africain.

Son premier séjour avait commencé en 1900, bien plus loin dans les entrailles du Congo sylvestre, quelque part au bord de la Sangha, du côté de Ouesso. Contrairement à certains Européens venus « congoliser » à des fins diverses, il témoignait d'une réceptivité digne des ethnologues. Sa compréhension des lieux, des êtres et des choses était magnifiquement instructive pour un enfant convié à de tout nouveaux éveils. Sur le moment, certes, je ne risquais guère de discerner un enrichissement de l'esprit. Il faudrait plutôt parler d'une sensation d'école « broussardière » dans la récréation et le divertissement continus. J'avais le loisir d'être tout yeux et tout ouïe au gré des manifestations de l'accueil congolais le plus authentique.

***

Il y avait foule. A peine en retrait, des pirogues grandes et petites témoignaient de l'inféodation du peuple boubangui à l'énorme vivier des eaux congolaises. Des gosses hilares pataugeaient et barbotaient. Des hommes rompus à la pêche et à la chasse aquatiques agitaient de courtes lances-harpons comme le chef d'orchestre sa baguette. La nudité des femmes était presque totale. Elle contrastait avec les habits fripés de quelques originaux qui tenaient curieusement à la main les chaussures qu'ils n'étaient pas peu fiers de posséder.

Je pouvais quitter le bateau à bord duquel le fleuve Congo m'avait été à la fois montré et conté pour accéder au ponton de débarquement. L'aubade entendue si souvent par la suite emplissait sans discontinuité mes oreilles de ses accents délirants. Était-ce moi qui venais de loin ou ces hommes, ces femmes, ces enfants aux rythmes sempiternels ? Superbement entraînés au renouvellement de leurs cadences, ils énonçaient et répétaient en musique la vérité du jour : *A zali na nguéré*, assortie de

Oya-a, Olélé-léo clamés à satiété. Je n'eus pas besoin d'en demander la traduction. Mes parents s'en chargèrent sans être interrogés : « Cela veut dire : " Il vient du bas " (s'agissant du bateau). » Telle fut ma première leçon de lingala.

Serions-nous restés là des heures sans nous éloigner ? Ce chœur n'aurait jamais faibli. Il ne pouvait cesser qu'avec la fin des opérations de débarquement alors que les arrivants tournaient définitivement le dos au bateau.

***

Avec mes parents et ceux qui leur faisaient escorte sans chercher à dominer une allégresse d'ailleurs irrépressible, nous nous sommes éloignés du village riverain des Boubangui aquaphiles pour emprunter bientôt une allée de manguiers. Au bout de notre montée, la vue s'ouvrit sur quelques constructions d'inspiration européenne – entrepôt, magasin, maison d'habitation –, autour desquelles dominaient des cocotiers dans un cortège végétal qui associait des flamboyants, des citronniers, des bananiers ainsi que des frangipaniers charnus à leur tige dont les branches premières semblaient sortir directement de terre. Enfin, le fond du décor m'est apparu, plaqué contre une brousse infinie, avec les huttes édifiées à proximité les unes des autres par les Batéké toujours soucieux de se cantonner à une distance respectable du fleuve au débit le plus important du monde après celui de l'Amazone.

Chemin faisant, mes parents me livraient quelques commentaires sur ce que je découvrais. Je crois bien que je les ai enregistrés aussitôt. En tout cas, ces choses me devinrent rapidement familières comme le fut la consommation des mangues après la cueillette inaugurale du premier de ces fruits, effectuée sur notre parcours.

***

Le souvenir le plus marquant de cette entrée dans M'Pouïa se rapporte quand même à l'indignation subite de mon père au seuil de sa maison – sa case pour parler comme là-bas. Mais qu'en avaient donc fait ceux qui l'avaient occupée en assurant un intérim le temps de son absence ? Une prison sans lumière. Complètement occultée, la véranda. Aucune vue sur l'extérieur. A ce constat, les auteurs de mes jours ne parvinrent pas à dissimuler une vive contrariété. A voir la tête qu'ils faisaient, les escorteurs noirs comprirent que Mondounga et sa *mwasi* n'appréciaient guère les initiatives de leurs remplaçants, ce qui ne pouvait que les inciter à la jubilation. Le couple qui s'était ainsi calfeutré le plus possible dans son intérieur, en se retranchant par trop des M'Pouïais, aurait dû, de toute évidence, se montrer davantage. Pour s'être à ce point dérobé aux regards, fussent-ils indiscrets, il n'avait sans doute rien appris de ce qu'il fallait connaître. Or, mon père détestait justement les inconséquents qui, venant en pleine Afrique centrale, ne réussissaient qu'à passer à côté d'elle. Je compris, dans les mois et les ans qui suivirent, qu'il en rencontrait trop.

Père pensait que l'on ne devait pas tricher avec les données du pays dans lequel on s'installait, quel que fût le contraste avec celui que l'on avait quitté. Venir jusque-là pour frémir quotidiennement sous prétexte que des roussettes se suspendent à des arbres tout proches ou pour se sentir d'avance accablé par le climat lui semblait conduite de masochiste.

Il n'était pas pour autant partisan de laisser jouer les effets de soleil à plein dans une demeure aux heures les plus chaudes et se satisfaisait fort bien de tentures ni opaques ni sinistres mais qui, grâce à des modulations opportunes, laissaient filtrer une ration suffisante de bonne et saine lumière. On revint rapidement à cette sage solution. M. et Mme Lestaupes (ainsi furent-ils surnommés aussitôt) se le tinrent pour dit.

***

Pour mettre les points sur les *i* à l'intention des résidants sortants, Mondounga jugea préférable de me faire déguerpir au préalable. C'est alors que Gampo, mon aîné de quelques années, mon mentor désigné, mon précepteur de lingala pour ne pas dire mon boy attitré, m'apparut pour la première fois. Il s'empara de moi à la demande de ma mère. Et de m'emporter au pas de course sur son dos de jeune Ngangoulou en parfaite condition physique.

Notre association commençait en beauté. Elle demeura sans faille. Notre complicité, notre connivence de tous les instants, notre parfaite solidarité ne se démentirent jamais. Pas question pour lui de se plaindre de ma conduite, aurait-il eu vingt fois des raisons de le faire. De mon côté, il ne me serait jamais venu à l'esprit de le critiquer auprès de mes parents, à supposer qu'il m'eût, par exception, contrarié.

Avec ce solide copain, M'Pouïa devint un espace de balade aux perspectives inépuisables. Il savait toujours m'entraîner vers un lieu propice à découverte : ici, un crocodile étripé à des fins alimentaires; là, un coin de marché où des étals de termites grillés (les *chama*) se trouvaient exposés aux lois locales, évidemment simplifiées, de l'offre et de la demande quand ce n'étaient pas celles du troc ; ailleurs encore, d'interminables séances de coiffure villageoise dans le parfait respect de la mode en vigueur au pays des Batéké.

*
* *

Pour l'heure, j'avais été emporté bien à l'écart afin d'épargner à M. et Mme Lestaupes l'affront d'entendre quelques reproches bien sentis devant des témoins indésirables. Quand je fus de retour auprès des adultes, l'incident parut clos. Cependant, mon père se sentait rarement au diapason de ces gens-là. La dame surtout l'agaçait par la frivolité de ses impressions africaines. Les impairs qui caractérisaient sa conversation ajoutaient à un bêtisier ouvert de vieille date.

Il s'agit là heureusement d'une épreuve d'assez courte durée. M. et Mme Lestaupes embarquèrent pour Brazzaville, sur un bateau qui venait du haut – (*A zali na likolo – Oyaa-a, Olélé-léo*) – quelques jours plus tard.

Après leur départ, mon père poussa un très profond soupir de soulagement. Je l'entendis vitupérer les ridicules auxquels il avait assisté. Il parlait de comportements détestables et, de fil en aiguille, frôlait l'intolérance dans ses enchaînements. Ainsi les lunettes sombres portées par la citoyenne Lestaupes devinrent un sujet de cruelle moquerie qui entraîna mon père fort loin dans l'exposé de ses conceptions en matière d'optique parasolaire au pays où la durée du jour ne varie pas plus que celle de la nuit. En fait, il admettait mal que l'on mît des lunettes de soleil... « A quoi cela sert-il, sinon à accoutumer les yeux à perdre toute résistance à l'épreuve d'une lumière un peu vive ? » L'argument me séduisit. Je le trouvai empreint d'une logique imparable. Aujourd'hui encore, je partage cette opinion provocante tout en m'efforçant de la nuancer.

Chez mon père, je crois bien que le parti pris, sur ce sujet, était entier. Les lunettes noires ? Des colifichets néfastes. Ma mère avait bien essayé de le décider à en porter ponctuellement : « Tu sais, Julien, avec les reflets sur les eaux du fleuve, c'est plus prudent parfois. » L'entêté s'était laissé fléchir, mais pas pour longtemps... « Ah ! non, pas question, c'est plus sombre que l'approche de la tornade. » Et le voyage en pirogue se poursuivait, durant des heures, dans la franchise des couleurs ambiantes.

Le plus piquant, avec le recul, a été la séduction opérée par les lunettes – surtout teintées – sur des peuples exercés, depuis des millénaires, à s'en passer sans dommage grâce à des pupilles idoines. Mon père lui-même portait, pour lire, une monture dotée de verres correcteurs. Cet ornement chevauchait fréquemment le nez du *Mondélé* moyen. Il n'en finissait pas d'épater l'autchtone qui s'empressait de le désigner d'une manière imagée : *Tala-tala* (l'action, le fait de regarder en double : œil et lentille). L'objet deux fois cerclé et l'individu qui le porte inspiraient cette même définition.

Le prestige du *tala-tala* teinté a fait son chemin comme chacun peut le constater à regarder des actualités télévisées. Que de diplomates, d'hommes d'État du continent noir s'y sont laissé prendre au point de dissimuler leurs yeux désormais fragiles derrière un double écran, même pour certains, en des jours de brume épaisse.

Gampo se dispensait fort aisément d'un tel objet quand je l'ai connu. Mais d'autres déjà succombaient à l'artifice pionnier d'une société de consommation qui ne portait pas encore son nom. Savoureuse contradiction, il se trouvait bel et bien disponible à M'Pouïa, dans le lot de marchandises géré par celui qui reconnaissait pourtant, dans son usage, une dérisoire illustration du superflu.

* * *

Mondounga considérait, en revanche, qu'on ne devait jamais quitter son casque dès qu'on se trouvait à l'extérieur dans le jour. Le coup de bambou guettait immanquablement celui qui enfreignait cette consigne, même un bref instant. A tout sceptique qui s'y pliait sans croire cependant au danger foudroyant, l'on racontait de terribles histoires : ce type mort au terme de plusieurs heures de délire après avoir atteint les records d'une fièvre contre laquelle toute médication (l'eût-on eue sous la main) demeurait impuissante; cet autre malheureux qui survécut, certes, mais dans quel état : une loque, une chiffe, une épave. Le cas le plus poignant cité pour effrayer d'éventuels imprudents concernait un garçon qui devint sourd et aveugle et s'épuisa jusqu'au trépas dans la fébrile interpellation d'interlocuteurs impuissants à se faire entendre de lui.

D'une manière générale, le coup de bambou expliquait toutes les répétitions de comportements aberrants chez des individus réputés pour leurs esclandres, leurs graves écarts de conduite, leurs coups de folie qu'on se dispensait, la plupart du temps, d'expliquer autrement. Donc, j'étais prévenu. Si je voulais devenir, au mieux, comme ces minables personnes, je n'avais qu'à marcher tête nue, à une heure de luminosité, de la maison que bordait un cortège de roses des bois au premier palmier ou au premier citronnier dressé à quelques pas. On me serinait inlassablement qu'une telle imprudence suffirait, soit à me rayer promptement de la liste des vivants, soit à faire de moi l'handicapé mental inguérissable du village congolais de M'Pouïa. Il va sans dire que Gampo enregistrait journellement la même recommandation. Il me fallait absolument un casque pour assumer ma différence. Quant à lui, il avait, comme il se doit, une tête spécialement faite pour supporter les rayons vicieux entre tous du système équatorial. Cette supériorité notable n'a pas empêché, à la longue, l'adoption du casque dit colonial par des Africains bon teint. D'ailleurs, les factoreries en faisaient le commerce. On en vendait aussi à M'Pouïa, mais cette coiffure avait trouvé surtout preneurs dans les rares agglomérations qui commençaient à devenir de petites villes.

***

Les opinions dont mon père me faisait profiter quant aux lunettes de soleil ou au port du casque ne suffisent pas à le montrer tel qu'il ne cessa d'être. Mais elles correspondent bien au caractère du personnage, homme libre par excellence dans sa pensée comme dans son travail. Il entamait son huitième séjour congolais comme agent général d'un ensemble de comptoirs commerciaux répartis sur le fleuve et ses affluents. On y vendait un peu de tout et l'on y achetait kapok, caoutchouc et, hélas, ivoire. Cette fonction, pour laquelle il avait carte blanche, convenait à son tempérament indépendant. Responsable mais sans entraves, il préférait de beaucoup l'autonomie de mouvements dont il disposait aux contraintes de l'administration coloniale à laquelle il avait refusé d'être rattaché en dépit d'une proposition émanant du gouverneur. De même, s'était-il défilé sans la moindre hésitation chaque fois qu'il avait été menacé d'une promotion, dont il ne voyait pas l'intérêt, dans l'ordre de la Légion d'honneur. L'estime réelle de ses interlocuteurs noirs et blancs lui était plus précieuse.

De taille moyenne mais doté d'une large cage thoracique, croyant dur comme fer, avec une grande imprudence, à l'inaltérabilité de sa bonne santé, moustachu ou glabre selon son inspiration saisonnière, capable d'un sang-froid à toute épreuve au front des dangers africains mais perdant contenance pour une dérisoire broutille du quotidien, tel était Mondounga dans son poste de M'Pouïa.

CHAPITRE II

Le baliseur de l'Oubangui

On pouvait distinguer deux catégories d'Européens immigrés au Moyen-Congo : les *coloniaux* vivaient dans des quartiers qui leur étaient réservés, en des agglomérations assez développées et aménagées où ils formaient des *colonies* distinctes, au sens strict du terme, et les *broussards*, plus profondément intégrés au pays par la force des choses. Les différences d'habitat et de fréquentations déteignaient sur les mentalités.

A Brazzaville, Pointe-Noire ou en d'autres endroits à communautés blanches, beaucoup mondanisaient avec plaisir. On recevait énormément et l'on était reçu en retour. On cancanait sur des absents dont on avait partagé la table une fois précédente. On passait des paris. Certains, parfois, jouaient gros. Les dames se plaisaient volontiers à comparer les défauts de leurs boys respectifs, sujet finissant toujours par prendre une place importante dans les conversations. Et puis l'on buvait sec, presque partout, pour le prestige ou par habitude. Le désintérêt ou l'ignorance des ethnies toutes proches était flagrant dans bon nombre de ces réunions.

Mais il y avait aussi, parmi les gens de ville, des caractères d'une autre trempe, voyant au-delà d'eux-mêmes et des petits clans, détachés des ragots, des jalousies et des mesquineries, ouverts enfin aux voix, aux gestes, aux résonances du continent d'accueil.

Les broussards non plus ne sortaient pas tous d'un même moule. Certains voulaient être en prise directe avec les habitants des paillotes couvertes de ces herbes appelées *nianga*. Mondounga faisait partie de ceux-là. La communication entre lui et les M'Pouïais de la rive comme de l'amorce du plateau batéké se faisait sans cachotteries. A sa manière, le voisinage l'avait adopté. En somme, la confiance régnait, des deux côtés.

Parfois, j'ai vu des Européens de l'autre catégorie ouvrir de grands yeux réprobateurs en apprenant que mon père, au cours d'un séjour précédent, s'en était allé en tournée, sur des rivières comme l'Alima, après avoir confié la garde de son épouse à tous les M'Pouïais réunis... « Quoi, madame, vous n'aviez pas peur, si *seule* ? » A quoi ma mère répondait, sans forfanterie : « Pourquoi peur, puisqu'ils étaient là pour veiller sur moi ? »

On trouvait aussi, parmi les broussards, des misanthropes intégraux sans distinction de race, des solitaires ombrageux, des caractériels. Certains, qui furent victimes du *ndoki*, le mauvais sort, sous forme, par exemple, d'un plat ou d'un breuvage empoisonné, payèrent de leur vie d'intraitables humeurs. Mais dans l'ensemble, l'apprentissage de la brousse, épreuve de patience et de longue haleine, allait de pair avec les apports heureux d'une convivialité spontanée, au hasard des étapes en des villages perdus. On partageait le manioc, le *foufou*, la venaison occasionnelle si quelque antilope ayant pour nom vernaculaire *mboloko*, *nsa* ou *nvouli* avait été rapportée par un chasseur ou un piégeur du lieu ; on buvait le vin de palme. Des échanges de *matabis* avaient lieu : cadeau, cadeau, donnant, donnant.

On rencontrait tous les types de coloniaux et de broussards sur les bateaux qui assuraient le service du fleuve. Certains seulement faisaient escale à M'Pouïa. Ces passages étaient assez espacés dans le temps pour provoquer des ruptures du train-train dans le poste comme au village riverain. Tout un trafic s'opérait après l'accostage : marchandises débarquées, marchandises embarquées, matériel livré ou emporté dans un brouhaha que réussissaient néanmoins à dominer les chants bien connus de l'*a zali na nguéré* et de l'*a zali na likolo*. L'un ou l'autre retentissait selon que le courrier venait de l'aval ou de cet amont où le Congo s'élargit, par endroits, sur dix, quinze, vingt kilomètres, voire davantage, tandis que se répartissent, entre deux rives éloignées, des îles étranges qui sont autant de mystérieux microcosmes.

Combien de temps après mon arrivée sur la rive m'pouaïse, Gazengel, l'homme qui avait été mon parrain y réapparut-il, comme auréolé par le rôle qu'il jouait sur ce cours fantastique ? Je ne sais. Cela n'a n'ailleurs aucune importance. Mais le personnage lui-même fit en mon esprit une rentrée pleine de rêve et d'images fantasmagoriques. Il ne descendit pas du bateau de tout le monde mais du sien, fait spécialement pour lui, conçu accessoirement pour l'exercice d'un talent dont il avait presque l'exclusivité sur le parcours qu'il jalonnait.

Gazengel, après recul des eaux de la grande saison des pluies, repartait en campagne sur son bâtiment, flanqué d'une équipe d'Africains rompus aux caprices des fleuves équatoriaux. Le capitaine et son équipage, ayant démarré de Brazzaville, remontaient le cours du Congo pendant des jours. Ils dépasseraient des confluents où se produisaient des mariages de limons aux teintes qui variaient d'une rivière à l'autre. Des surplus de poussières, de débris et de moisissures défileraient sous leurs yeux. Une végétation inouïe se déroulerait le long des rives, laissant ressortir, ici ou là, des branchages affublés de pendeloques aux formes d'hameçons renversés.

Ils revivraient les longues heures sauvages du grand vide humain au plus loin de leurs regards que rompraient les mirages de quelques paillotes replantées sur des rives nouvellement redessinées.

En de plus rares occasions, ils adresseraient des signes à des hommes reconnus de longtemps, Baboma, puis Bangala qu'aucune humeur du Congo ne pouvait décourager de se livrer à lui.

Ils auraient affaire à un monstre liquide qui se gonfle puis se contracte comme un accordéon et dont les rivages semblent parfois s'éloigner au point de n'être plus distingués. Mais comme pour compenser cette dérobade, apparaîtraient aussi, au beau milieu des eaux, de déconcertantes sylves ayant tout l'air de s'enraciner dans le lit même du fleuve.

A bâbord, ils avaient déjà dépassé le jet de la Léfini aux méchants rapides. Les attendait l'allégeance de rivières secondaires, et de l'N'Kéni, et de l'Alima qu'avait descendue Brazza, comme par surprise, après remontée de l'Ogoué; enfin, ils reverraient cette fascinante conjonction de courants qui constituent autant de drains d'une forêt marécageuse aux dimensions stupéfiantes, cette coalition toute de démesure, en dernière instance, de la Mossaka, de la Sangha, de la Likouala-aux-Herbes, livrée en des contours incertains avec, plus qu'ailleurs, des confusions de marigots instables et changeants dont on désespère d'avoir le contrôle visuel. A tribord, autant de petits et de grands confluents, si ce n'est davantage, héritiers de multiples sous-affluents, les uns étiquetés comme Sankuru et Lukénié, beaucoup pratiquement anonymes.

Voyage d'aventure ou de routine pour Gazengel? Les deux, à tout prendre. Mais en ce temps-là, je n'imaginais, à l'entendre, qu'une intense exploration. Son discours faisait mon enchantement dans une escorte d'anhingas, ces cormorans à long cou serpentin, d'hippopotames en baignades inductrices de remous ou pataugeant dans le *poto-poto*, de marabouts exploitant des flaques coupées de l'ensemble fluvial après décrue où se débattent désespérément les poissons prisonniers, de crocodiles au repos sur des bancs de sable ou bien inertes guetteurs, comme végétalisés, au ras d'eaux troubles, dans l'attente d'un canard malavisé.

Les nuits et les jours se succéderaient. Le bateau poursuivrait encore plus loin sa remontée pour s'engager enfin dans l'Oubangui dont ils auraient, bien avant, reconnu les eaux coulant à part dans celles du Congo, comme en parallèle, sur près de cent kilomètres.

Ce qui avait changé depuis la précédente reconnaissance ? Pour le savoir, il faudrait sonder des fonds, déceler des affleurements, tenir compte d'îles nouvelles et localiser l'emplacement de celles qui avaient disparu. Il importerait de ne rien négliger dans cette méticuleuse inspection afin de permettre, à ceux qui seraient appelés à naviguer sur le même cours, de le faire à moindre risque. Le balisage proprement dit s'effectuerait, de Bangui à Mobaye, de Mobaye à Bangassou, en tous secteurs où l'on savait l'Oubangui dangereusement versatile et passablement scabreux, d'une décrue à l'autre.

Les baliseurs, munis de longues perches, quitteraient souvent le bateau pour emprunter de petites pirogues sur lesquelles ils s'approcheraient de passages suspects. Avec les instruments de mesure utilisés depuis un temps immémorial par les hommes des fleuves, Boubangui et autres, ils s'enquerraient des variations du fond. Selon qu'ils remarqueraient une faible ou une bonne hauteur d'eau, ils annonceraient, soit *may moké*, soit *may mingi*.

Voilà ce que me racontait mon parrain avec une complaisance amusée tant le surprenait la ferveur de son confident. Et j'en redemandais. Je réclamais des détails complémentaires. Il me venait à l'esprit que, peut-être, il m'emmènerait un jour remonter l'Oubangui avec ses baliseurs. Bien sûr, il ne disait pas non mais trouvait une digression qui me passionnait infiniment moins : « Tu te souviens que j'étais avec toi, à Paris, le jour de ton baptême. » Détourné de mon pôle d'attraction, je bafouillais lamentablement. Non, non, je ne me rappelais rien de cela. Avant M'Pouïa, c'était le néant. Que mon mécréant de père eût attendu deux ans avant de me laisser baptiser en capitulant devant les assauts indignés de sa sainte mère appuyée par la mienne me fut révélé bien plus tard et ne m'étonna pas outre mesure. Mais en 1924, le parrainage que je sollicitais de Gazengel était inséparable d'un embarquement sur son bateau pour partir vers d'exaltantes découvertes.

S'il se rattachait incontestablement, par le cœur et par l'expérience, à la catégorie des broussards de solide qualité, mon parrain représentait un cas particulier : celui du navigant, de l'homme de flottille (en comptant les pirogues d'appoint). Il ne consentait à se conduire en terrien que pour des temps limités. Marin, il avait été, bourlinguant sur l'océan. Tel il demeurait, à la mesure de l'hydrographie centrafricaine, dans l'accomplissement de savants cabotages.

***

Le mot de tornade prenait, dans sa conversation, plus d'importance que s'il avait émané d'autres bouches. Sa signification en était renforcée. Vécu sur un bateau, le météore, à croire Gazengel, marquait davantage des hommes que lorsqu'il était subi à terre. Le fleuve se comportait comme un animal agité par une incroyable frénésie. Les grandes eaux du ciel, libérées en tumulte, se précipitaient sur celles qui défilaient, en route vers l'Atlantique. Et sur le bâtiment plus ou moins chahuté, le déluge pouvait se faire si impulsif et si dense à la fois que les yeux se noyaient eux-mêmes, au surplomb d'un courant en emballement, traversé de grands frissons. Le plus désagréable, d'ailleurs, n'était pas de vivre la tornade mais de ressentir ses signes avant-coureurs. De cet avertissement, Gazengel tentait de tirer parti pour placer son bateau en zone de moindre turbulence. De toute façon, quiconque s'accommodait de cette péripétie éprouvait comme une sensation de mieux-être. Je devais en retenir qu'on ne se voit pas empêché durablement de poursuivre son trajet quand on fait corps, en Afrique équatoriale, avec les grands phénomènes naturels.

Où ils opéraient, les baliseurs avaient à compter avec des régimes pluviométriques moins contrastés que ceux du tropique. Dans le cycle annuel, ils connaissaient, certes, une grande et une petite saison des pluies. Mais le reste des jours ne leur réservait que des sécheresses relatives. Quand ils naviguaient entre deux ceintures forestières épaisses, profondes et prolongées, l'épreuve d'une douche soutenue entrait dans n'importe quel calcul de probabilité.

« Tu vois, concluait Gazengel, ce n'est pas drôle tous les jours. »

Les années suivantes me confirmèrent que la météorologie congolaise, même en des zones moins arrosées, ne faisait pas du pays un séjour paradisiaque. Les cocotiers qui me fournissaient le lait de leurs noix poussaient sous un ciel étranger aux chromos méditerranéens. Une voûte plus ou moins plombée selon les jours nous dominait. L'humidité ambiante appartenait peu ou prou au quotidien. Au milieu des années 20, la brousse étant ce qu'elle était, point question de réfrigérateur et encore moins d'air conditionné. Servait l'éventail, quand il faisait trop lourd, en l'absence de l'électricité, laquelle ne se manifestait qu'avec les éclairs des orages.

CHAPITRE III

Na Boula matari

Les perroquets étaient les hérauts du jour renaissant. La fin précipitée de la nuit coïncidait avec le vol de leurs bandes au-dessus du Congo pour revenir sur notre rive droite. Afin de me les faire connaître, ma mère avait, au seuil d'un matin, écarté ma moustiquaire en m'invitant à me lever... « Si tu veux voir passer les oiseaux qui parlent, lève-toi vite. » Les mots qu'il fallait pour me mettre debout sans traîner.

Ma mère ne risquait pas de se tromper. Ces vols de jackos, toujours ponctuels, épousaient un trajet immuable, à quelques mètres près. Il suffisait de se le rappeler pour jouir de leur spectacle sous le meilleur angle de vision.

En effet, les bavards à plumage gris et queue rouge débouchèrent au-dessus de nous après avoir survolé quelques kilomètres de fleuve. Et je vis ces troupes en vol s'enfoncer dans la direction du plateau batéké comme elles l'avaient fait la veille, l'avant-veille et sans doute aussi cent et mille ans plus tôt avec une exactitude merveilleuse. La prescience du jour les invitait au passage comme se manifesterait, douze heures plus tard, celle d'une revanche soudaine des esprits de la nuit.

Ils savaient diablement bien où ils se rendaient, ces journaliers du transit. Leur vol était vif et assuré. Ils pratiquaient sans discrétion, avec un empressement tonitruant, la liaison directe. Leur entrain d'affamés matinaux se traduisait, au passage, en cacophonie.

Au-delà de M'Pouïa, ils allaient chercher toutes provendes à leur goût dont ils avaient sans doute l'équivalent près de leurs dortoirs de la rive gauche aussi riches en arbres à fruits comestibles. Mais la tradition continue de ces jackos exigeait que l'on mangeât loin des refuges propices au sommeil. L'allègre traversée d'un fleuve illustrait cet impératif. Les faveurs du palmier à huile et toutes les fructifications sauvages consommées durant l'activité diurne devaient être ingérées très à l'écart des endroits où les travaillaient les angoisses inhérentes aux ténèbres. Car ils devaient avoir peur, la nuit, dans leurs frondaisons, au point d'être poussés à prendre le plus possible de champ dans le matin, comme pour fuir un cauchemar.

***

« Tu vois, me dit ma mère, ils viennent de *na Boula matari*. Et ce soir, ils y retourneront. »

« Ça veut dire, demandai-je, qu'on appelle comme ça l'autre côté ? »

Cette question me valut un cours d'histoire improvisé que j'ai eu, l'âge venant, tout le loisir d'étoffer. Le personnage extraordinaire dont on me révélait tout à coup les bruyants exploits s'était appelé Stanley : un dur de l'exploration africaine comme on n'en ferait vraiment plus. « Ce terrible bonhomme, me confia ma mère (qui le tenait de son mari) a remonté tout le Congo depuis sa source qu'il croyait être celle du Nil, un fleuve encore plus long mais moins large et moins profond. Cela lui a pris un temps fou. Il avait un grand bateau, un équipage, beaucoup de porteurs. Et ce monsieur ordonnait de démonter son bateau pour le remonter plus loin s'il butait sur un obstacle. Quelquefois, il préférait faire sauter les rochers encombrants. Il avait avec lui tout ce qu'il fallait pour cela. Alors les gens des rives entendaient ses explosions dont les échos parvenaient même en forêt. Ils tremblaient parce qu'ils le prenaient pour un diable, un *ndoki*. Et à mesure que ce M. Stanley progressait dans sa descente du fleuve, les tam-tams télégraphes annonçaient à ceux des villages de l'aval, ennemis ou amis, que *Boula matari*, le briseur de roches, approcherait bientôt d'eux. Il y avait du vacarme partout parce que des tam-tams de guerre ou de fête, ceux qui sont ronds, résonnaient à leur tour. Des tribus s'excitaient et dansaient en agitant les lances. D'avance, ce Stanley les affolait. Et voilà que *Boula matari* s'énervait d'être attendu comme cela. Pour ne pas perdre de temps et pour effrayer les gens des tribus, il faisait sauter d'autres roches. Et sa réputation courait, courait dans les airs. Les tam-tams télégraphes la relançaient de plus en plus. »

Plus je pense aujourd'hui à cette dénomination de *Boula matari*, qui me fut apprise alors que je ne savais ni lire ni écrire, consécutivement au commentaire des aller et retour journaliers de perroquets jacasseurs, plus j'imagine l'ambiance effarante dans laquelle vécut et fit vivre les populations congolaises, aux trois quarts du XIXe siècle, ce Stanley, homme tout d'une pièce, monstre de volonté dont la réputation put se confondre, par-delà les décennies, avec celle de l'Empire dont il avait pris possession.

Que Makoko et ses Batéké l'eussent alors échappé belle, grâce au doux mais ferme Brazza, personne n'en doutait en 1924. D'ailleurs, aux approches de l'an 2000, Brazzaville n'a pas été débaptisée alors que Stanleyville est devenue Kisangani.

La tradition orale, l'héritage des anciens restaient toujours emplis des séquelles d'une obsession sonore associant les terres situées au sud du Congo à la menace toujours vivante de *Boula matari* entré en force dans le langage courant.

La nuit venue, l'expression fatidique me remuait davantage. Le passé des grandes explorations me faisait frémir après avoir entendu Mondounga qui cherchait à localiser des rugissements de lion en chasse parvenant jusqu'au poste. Au Bakongo accroupi près d'un feu de veille en débitant doucement une curieuse litanie musicale, il avait été demandé si, à son avis, le fauve se trouvait loin : « *Nkosi a zali mosika ?* » Sorti de sa divagation, ayant interrogé la nuit, ses souffles, ses ondes, l'homme pouvait, sans risque d'erreur, se décider à situer la bête *na Boula matari.* Oui, on l'entendait fort bien de si loin, par-delà les eaux, le fauve à crinière. La portée fracassante de cris léonins relayait, en la circonstance, d'autres tumultes toujours présents dans la mémoire collective, aux invites des ténèbres. Ceux de jadis et ceux de l'instant se localisaient pareillement, selon des termes identiques.

En ces mêmes moments, sur cet autre côté du fleuve porteur de rugissements, la communauté des perroquets visiteurs du jour s'assoupissait. Il ne me restait plus qu'à m'endormir avec des mots en tête qui m'entraînaient à vagabonder.

***

La condition nocturne des jackos fit bientôt partie de mes désirs d'investigations tout comme les tribulations de John Rowlands Stanley. Mais en attendant – fort longtemps – d'être satisfait à bonne source, je laissai aller une imagination qui pouvait s'en donner à cœur joie. Quand la grande ombre se peuplait de messages et que je repoussais le moment de m'endormir dans les concerts de chauves-souris géantes et de crapauds-buffles, ma pensée franchissait subrepticement le Congo pour tenter un reportage chez les perroquets dormeurs. De l'accueil qu'ils me faisaient, je ne savais, le lendemain, guère plus que ne laissent les rêves qui s'envolent.

***

Mais l'envie de parvenir à mes fins me reprenait de temps à autre, moins impérieuse, certes, que celle d'aller baliser l'Oubangui, mais tout de même assez répétée pour, qu'un jour ou l'autre, ma curiosité parvînt à trouver un écho éclairant.

Le journaliste qui, en 1954, interviewa longuement le professeur Jacques Berlioz, ornithologue de classe internationale aussi courtois qu'éminent, dans son bureau du Museum national d'Histoire naturelle, ne dévoila pas tout de suite ses batteries. But officiel : faire un reportage sur le fonctionnement et les attributions du laboratoire dans lequel l'ex-enfant congolais se trouvait. Intention inavouée : dériver vers l'avifaune équatoriale d'Afrique, à commencer par ces perroquets qui s'en vont, chaque soir, *na Boula matari*.

De bonne grâce, le neveu du célèbre compositeur accepta ma digression. En rigoureux systématicien, il m'entraîna dans la salle des collections pour m'expliquer qu'il y a, de *Psittacus erithacus*, des races locales, de la Sierra Leone au sud de l'équateur, qui se ressemblent énormément sans être tout à fait pareilles. Le commerce frappant l'espèce, sous prétexte qu'elle témoigne de cocasses talents d'imitation de la voix humaine, indignait profondément le professeur Berlioz tout comme les autres trafics d'oiseaux. Il n'admettait surtout pas qu'on entraînât des perroquets à répéter des sornettes : « Quelle dérision, alors qu'ils devraient s'en tenir à relancer, dans leur habitat, les cris d'animaux qu'ils retiennent. » Et de flétrir les captures au filet de ces jackos que j'avais vus se rire d'un vaste fleuve en des vols résolus.

Finie, dès lors, la vie de famille. Mon maître, devenu tel en quelques minutes, vantait l'exemplarité des relations sociales et matrimoniales de *Psittacus erithacus*, dit plus prosaïquement le Gabonais : des couples d'une fidélité sans faille mais néanmoins intégrés dans des communautés solidaires, accoutumés, matin et soir, à des vols de concert. De fil en aiguille, je sus que tous les psittacidés du monde – ou peu s'en faut – témoignent des mêmes vertus de bonne et honnête compagnie sur les quatre continents où ils ont à vivre : aras et cacatoès, loris et amazones, récitants capricieux des essors de leur pays. Alors, en moi, les voix du passé s'enrichirent, au terme de cette audience, du prestige de l'universalité.

***

De ce que j'ai vu et entendu au cours des journées de M'Pouïa, je devais tirer fatalement la moralité. Après le passage des perroquets siffleurs et criards, une faune toute différente mais autrement constante dans sa présence y prenait ses aises sans précautions superflues, donnant à ses déambulations un cours désordonné. Des cochons, par centaines, quittaient leur enclos pour jouir à fond de train des avantages du quartier libre. Et de se répandre dans M'Pouïa et dans ses alentours, grognant de-ci de-là, en quête de leur pitance. Ils se faisaient énergiquement rabrouer quand, dans les villages, ils se croyaient tout permis. On leur expliquait alors, sous menace du bâton ou de la chicotte, qu'ils n'avaient pas à intervenir dans la culture du manioc ou le ramassage des patates douces. Moyennant ces remises à distance supportable, on ne souffrait pas trop de leurs façons d'agir. Ils étaient intégrés dans le paysage, quoique placés en situation fausse : celle de bêtes ni tout à fait sauvages ni franchement domestiques. Mais mon père tenait trop à leur compagnie pour s'employer à modifier leur statut. Ces porcs et ces truies en vadrouille journalière lui rappelaient sa jeunesse. Pour ce service, il leur accordait, sans l'avouer, une certaine reconnaissance.

Il s'entourait, au Congo, de quelque trois cents porcins à la couenne aussi noire que dure en souvenir de ceux, dix fois plus nombreux, qu'il avait, pendant sept ans, contrôlés en Tunisie à la fin du siècle précédent. De cet épisode de son existence, il possédait quelques photos que j'ai évidemment gardées et qu'il m'arrive de contempler avec attendrissement. Celle à laquelle il tenait le plus le montre à cheval, coiffé d'un chapeau à la manière des gardians camarguais. Au-dessous, figure ce libellé : « Julien allant aux Nefzas voir ses cochons », écrit de la main de ma grand-mère qui n'a que modérément savouré sa chance d'avoir un fils pareil.

Le territoire des Nefzas, situé dans les environs de Béjà, non loin de l'Algérie, a tant trotté dans ma tête que l'ambition de le cadrer un jour devant moi s'est développée jusqu'à son accomplissement assez tardif. Accompagné d'amis vieillissants de mon père qui l'avaient vu à l'œuvre avant 1900, régnant sur une multitude porcine en pays musulman, je m'en fus, songeur, jusqu'à cet oued Zarga qu'il avait dû tant de fois franchir, porté par son cheval.

En tenant compte des effectifs avancés, les subtilités du commerce des cochons en Tunisie ne m'étaient pas lumineusement apparues. Tant que j'ai eu des ascendants vivants, j'ai donc cherché à être plus largement éclairé sur les résultats d'une option paternelle jugée comme un défi permanent. On m'apprit que cette activité restait valable pour nourrir de cochonnaille les résidants minoritaires qui, non mahométans et non-juifs, représentaient plus de cent mille bouches françaises, italiennes et maltaises. Qu'ai-je su d'autre ? Que, sans être lassé de son élevage porcin à grande figuration, mon père avait voulu, un jour, marquer une pause. Et de vendre tout son cheptel à un maquignon d'occasion, de surcroît mauvais payeur, mort subitement avant d'avoir réglé son dû mais après la cession de l'ensemble des porcs à un autre acquéreur. Bref, un embrouillamini synonyme de ruine.

*
* *

Cette désastreuse opération fut à l'origine de la migration paternelle du Nord au plein Centre de l'Afrique. Le Congo lui avait convenu. En plus de vingt ans, jamais de fièvre paludéenne, pas de maladie du sommeil ou autre saloperie contractée alors que des crises de paludisme s'étaient plusieurs fois déclarées en Tunisie. Une santé si insolente sous les pernicieux auspices congolais, en dépit des agents pathogènes grouillant dans les airs et les eaux, lui avait assuré un moral suffisant pour renouer avec sa fantaisie tunisienne.

Après tout, il ne lui semblait pas plus déplacé d'élever des porcs chez des animistes omnivores que de l'avoir fait parmi des gens religieusement prévenus contre le jambon et l'andouillette. La reprise de sa marotte se précisa, mais avec des variantes. Dans une brousse où un cheval résistait mal aux prévenances de la mouche tsé-tsé, pas question de fréquenter comme cavalier des suidés d'adoption, libérés chaque matin et regagnant d'eux-mêmes leur bercail aux approches du soir, peu avant le mouvement aérien des perroquets pressés de se coucher. La surveillance de ces animaux passionnants, le rattrapage des égarés dépendaient un peu, on l'a compris, de tout un chacun. Et les choses ne se passaient pas si mal. D'ailleurs, Mondounga témoignait de dons réels pour la promotion porcine. Quelque faiblesse dans cette pratique n'apparaissait parfois qu'au stade du négoce. Et encore, même si les transferts ne s'apparentaient pas à des affaires rutilantes, des embarquements de lots de cochons vers d'autres destinations se firent assez fréquents. La diffusion du produit sous forme de spécimens vivants aboutit à l'adoption de cochonnets à des fins alimentaires par les occupants d'un bon nombre de postes. Les livraisons s'effectuaient généralement par les bateaux transporteurs habituels. Il advenait aussi, assez rarement, pour des trajets relativement courts, que la pirogue fût utilisée malgré les protestations des bêtes intéressées. Gazengel aussi accueillait parfois quelques-uns de ces réjouissants passagers sur son bateau baliseur pour les livrer quelque part dans l'Oubangui.

Mon père se félicitait d'avoir renoué avec cette activité malgré toutes les complications qu'elle lui occasionnait. Il en contrôlait tous les aspects, fort de sa vieille expérience tunisienne. Les castrations de jeunes mâles non sélectionnés pour la reproduction se faisaient avec une belle maîtrise. J'en étais le profiteur principal, sinon exclusif, car les organes sectionnés, cuisinés avec soin par ma mère, entraient dans ma diététique pour mon plus grand régal. Peu de gens sur terre, j'ose le proclamer, ont absorbé autant de testicules de porcs, entre quatre et sept ans, que je ne l'ai fait. Je me demande même si je n'ai pas battu, pour cet âge, un record mondial malheureusement non homologué.

***

La présence de ces animaux faisait de même, pour d'autres raisons, le bonheur de ma mère. Aux plus affectueux dans leurs attitudes conviviales, elle avait donné des noms. Ils y répondaient avec empressement. Ces commensaux, coutumiers d'un sans-gêne éhonté, revendiquaient un complément de nourriture en se dressant à peu près comme un chien qui fait le beau ou, du moins, en tentant d'y parvenir. Perdant l'équilibre plus tôt que prévu, certains de ces mendigots retombaient lourdement. Le jour où le sabot d'un quémandeur sans panache ne frappa pas le sol mais le pied droit de ma mère, il fut décidé de prendre, avec ces maladroits, un peu plus de distance. Mais la victime de cette agression involontaire ne fut pas guérie pour autant de ce genre de fréquentations. Allant œuvrer dans la porcherie modèle, elle y agissait assidûment pour le bien-être de ses locataires avec une compréhension de leurs besoins découlant peut-être de sa naissance rurale aux confins de la Lozère et de la haute Ardèche.

Donc, toute la famille puisait des satisfactions appréciables, bien supérieures aux désagréments éprouvés, grâce à ce troupeau qui savait aussi bien s'égailler que se rassembler. Sa prolixité compensait aisément certaines pertes plus ou moins mystérieuses. Car tels de ces cochons en ardente balade prenaient des risques inconsidérés. Des pointes trop prononcées dans la brousse exposaient à des rencontres regrettables. D'abord pour la dignité de créatures supposées domestiques et susceptibles de mésalliances avec des suidés sauvages, et surtout pour leur plus élémentaire sécurité. Quoique très retirés dans leurs siestes et leurs guets et moins inspirés que dans la nuit, de grands félins pouvaient ne pas rester indifférents. Par ailleurs, tel cochon qui pataugeait dans la boue, trop près de l'eau, n'échappait pas toujours au crocodile qui s'animait tout à coup après s'être laissé prendre pour quelque bois flottant.

Pire encore, des fauves, repérant cette réserve ambulante de protéines animales, en venaient à localiser parfaitement l'élevage pour le jour où, faute de mieux, ils n'auraient, dans la malchance ou la méforme, que le recours de se rabattre sur ce palliatif. Une ressource d'appoint vivait, tentante, à leur portée. De beaux soirs en perspective.

CHAPITRE IV

Ngangia et Ngomokabi

Au cours des mille journées que Gampo et moi avons passées en commun, certains pôles d'attraction nous rappelaient plus fréquemment que d'autres. Combien de fois, sans nous être concertés, avons-nous fait une longue halte au beau milieu du secteur des petits travaux ménagers et artisanaux chers aux Batéké ? Impossible à dire comme je ne saurais faire la part exacte de ce que j'ai retenu sur le vif et de ce que j'ai laissé vaguement s'estomper avant de demander à ma mère, jusqu'au soir de sa vie, de réanimer mon souvenir. Ainsi, à des scènes fortes qui crèvent des yeux d'enfant, entrent en trombe dans sa mémoire et s'y fixent à jamais, s'ajoutent les greffes de descriptions fidèlement répertoriées, issues des intérêts constants d'une femme du terroir occitan pour les techniques agricoles et les confections alimentaires chez les sujets de Makoko.

***

Elle m'a pratiquement tout dit du manioc, base de la nourriture dans une bonne partie de l'Afrique. Évidemment, lorsque je revenais avec Gampo d'un champ où on le cultivait et qu'elle me demandait de raconter ma journée, mon compte rendu était bref, sinon évasif. Ce qui m'avait le plus frappé ? Généralement, un fait très accessoire comme le balancement d'une tête de nourrisson porté sur le dos d'une mère penchée vers la terre ou quelque curiosité sporadique. J'entendais alors cette promesse : « Bientôt, je viendrai avec vous et je te raconterai le manioc. » J'acceptais cet augure sans me montrer pressé d'être renseigné. D'ailleurs, la fois suivante, elle ne venait pas davantage pour la bonne raison que notre nouveau passage en terrain de culture ne dépendait pas d'une programmation mais bien de notre humeur vagabonde.

A chaque retour dans l'intimité villageoise des Batéké, la manie dont témoignait une femme au ventre tout huilé de le frotter avec une statuette en bois retenait beaucoup plus mon attention. A n'importe quelle heure du jour, je la voyais, nullement pressée, sacrifiant à son lent mouvement perpétuel. Elle m'intriguait. Je ne comprenais pas à quoi elle voulait en venir. Son entêtement à ne jamais se séparer de cet objet promis au frottage ventral chronique devenait fascinant. De longues minutes, mon regard ne pouvait se détacher de ce ventre polisseur sur les vertus duquel je demandai à mon père quelques éclaircissements.

Eh ! que voulais-je savoir d'extraordinaire ? Ngangia patinait cette œuvre d'art sans désemparer, en prenant largement son temps, comme si elle avait eu toute l'éternité devant elle. Aucune limite de durée ne lui était impartie. Elle ne s'ennuyait pas à caresser du bois contre sa peau luisante, à moins que ce ne fût le contraire. La patine recherchée ne procédait que de sa douce obstination. Son geste se poursuivait sans lassitude comme sans emballement. Dans les éveils du matin comme dans les torpeurs de l'après-midi, elle n'allait ni plus vite ni plus doucement pour assurer la continuation de son travail imperturbable. Quelle que fût l'heure du jour, Ngangia demeurait égale à elle-même.

Quand on lui parlait, elle répondait volontiers. Son sourire n'était pas beau mais sublime. Toute l'éminence de son rôle s'y trouvait contenue. Elle semblait s'extasier de son affectation dans la société villageoise.

Prié, le soir, de justifier cette interminable application, mon père ne trouvait rien à répondre, sinon : « Elle patine toujours plus. » Oui, elle patinait la sculpture pour lui apporter un fini incomparable. Mais comment un *Mondélé* profane, un gosse à plus forte raison, eût-il pu apprécier à sa juste valeur une sempiternelle candeur artistique frôlant confusément la magie ? Mondounga restait persuadé que la plupart des gens de France ayant le privilège de voir faire Ngangia ne sauraient saisir à quoi rimait une si tenace persévérance, à supposer qu'ils l'eussent remarquée. L'art de vivre spécifique de cette femme noire entre deux âges, que d'aucuns eussent pris pour un nonchalant délassement, n'équivalait-il pas plutôt à un raffinement voluptueux dans le perfectionnisme ?

Cet art nègre de mon enfance demeurait, pour l'essentiel, destiné au besoin tribal, selon des concepts hérités des aïeux ; pas à un tourisme encore inexistant. Une statuette typique, conçue et achevée selon les normes de l'ethnie, ne quittait son emplacement près de la hutte en pisé dont elle semblait assurer la garde que pour se muer en témoignage d'estime, d'amitié à l'homme d'une autre couleur de peau. Il devenait *matabis kitoko*, cadeau joli, appelant, en retour, un don caractéristique de ce que savent produire, chez eux, les *Mondélé*. On voit l'utilité perverse que fut celle de la bimbeloterie, curieusement séductrice, dans l'épanouissement des contacts humains.

A qui donc Ngangia a-t-elle livré le secret de son ingrédient, ce composé d'huile de palme, d'arachides, de pétales pressés, d'herbes macérées, de je ne sais quoi encore ? Les éléments avancés ne découlent que de suppositions maternelles. Ils comportent certainement une part de vérité car, pour ce genre de chose, ma mère ne perdait rien de ce qu'elle voyait. Reste que les dosages, comme certaines adjonctions, pouvaient lui échapper. Dans la confidence de Ngangia, elle ne tirait cependant de celle-ci que ce qui dépendait de son bon vouloir. Détentrice d'une recette complexe, la polisseuse n'en faisait pas, au village, le secret de Polichinelle. Pour quel usage, d'ailleurs ? Il n'incombait pas aux autres, dans sa communauté, de polir et de patiner le bois sculpté. Ma mère non plus n'allait pas, à condition d'être pleinement informée, se mettre à pratiquer le frottement de l'ébène sur un ventre savamment huilé. Mieux valait laisser à chacun sa spécialité.

Dans l'accomplissement de sa tâche artistique, Ngangia ne dégageait pas de suaves senteurs. Mes Batéké s'intéressaient moins à l'hydrothérapie que les Boubangui du fleuve. Toutes sortes d'odeurs fortes flottaient dans le village. Mes narines n'avaient guère tardé à s'en accommoder. Les relents mêlés de graisse et de sueur ne me faisaient pas fuir. La fascination de Ngangia l'emportait sur les susceptibilités originelles de l'odorat.

Qu'attendais-je d'autre de cette contemplation ? Je ne sais. Mais je ne pouvais m'empêcher de me planter devant une femme à la fois simple et prodigieuse afin de savoir si, tout à coup, elle n'aurait pas envie de faire quelque chose d'entièrement différent. Mal au courant de la répartition fonctionnelle des devoirs dans cette société, j'imaginais qu'un certain jour, des permutations s'opéreraient. Alors, je verrais quoi ?

Peut-être l'attachée à la confection du pili-pili prenant la place de Ngangia ? Impensable, voyons. Elle n'aurait pas su s'y prendre, car le mouvement du sternum au nombril, du nombril au pubis pour qu'un bois sculpté devînt transcendant ne s'improvisait pas.

Il eût été inepte de faire permuter les deux femmes.

Ngomokabi ne profitait pas d'une sinécure. Mais bien que pleurant épisodiquement au-dessus de son labeur, elle ne désirait pas changer d'attribution. Du moins, ne laissait-elle rien soupçonner de tel. La ménagère au piment, même les yeux rougis, consentait d'ineffables sourires découvrant des incisives limées et sciées comme l'exige la coutume des femmes batéké. Déesse du condiment suprême, elle continuerait à tirer le meilleur parti de ces piments rouges qui devaient d'abord sécher longuement, bien étalés au soleil. La phase suivante devenait son affaire. Rendus très secs, les fruits de la plante potagère se trouvaient prêts pour l'écrasement et le pilage. Confiés aux bons soins de Ngomokabi, ils se transformaient, au terme d'un fin tamisage, en poudre capable de conférer du goût aux viandes les plus fades de la terre.

Le pili-pili parfait résultant de cet ouvrage ne devait rien non plus à quelque idée de rendement horaire. Ce critère échappait aux entendements. Une corvée, pour cette femme qui, malgré son accoutumance, versait parfois des larmes ? Mais elle s'y attardait, avec la vie devant elle. Et même si, dans son acharnement de batteuse de piment, elle pleurait plus souvent qu'à son tour, il ne lui venait pas à l'esprit d'écourter son pilage.

Elle revenait souvent à cet exercice sans faire preuve d'une régularité aussi étonnante que celle de Ngangia. Mais sa fourniture suffisait à satisfaire la demande villageoise en épices.

A table, mes parents se comportaient en distingués consommateurs de ce produit. Sans lui, à les entendre, certains poissons et certaines viandes eussent été immangeables.

Malheureusement, cette poudre rouge pouvait être aussi employée de cruelle manière. L'irruption, un certain jour, d'une femme hurlant sa douleur sur les marches de notre maison ne fut pas sans rapport avec le contact du pili-pili sur des muqueuses des plus intimes. La malheureuse venait de subir un cuisant traitement comme sanction d'un égarement sexuel. L'homme bafoué n'avait rien trouvé de mieux que de mettre de la poudre de piment sur l'organe du prétendu délit pour punir la *mokalé* par où elle avait péché. Après avoir soigné et consolé cette victime, ma mère, furieuse, courroucée, s'en était allée clamer son horreur et son indignation à l'auteur du supplice, médusé par cette philippique.

***

C'est peu après son immense colère que ma mère nous accompagna, Gampo et moi, en bordure de brousse pour nous réciter sa petite épopée du manioc. Elle y tenait beaucoup et nous n'aurions pas osé lui infliger l'injure d'une écoute distraite. Pourtant, nous n'avons qu'assez peu retenu ce qu'elle nous raconta. Il m'a fallu dépasser de beaucoup l'âge de raison pour avoir envie de lui réclamer une répétition de son discours initiatique. Je n'ai pas oublié le second alors que les termes du premier se sont évanouis. Mais le site du développement initial reste fidèlement derrière mon front, en deçà de mes yeux.

Ma mère dut nous dire à peu près ceci en prenant des précautions de style : « Voilà comment s'y prennent les femmes pour remuer la terre qui leur donnera du manioc. Elles ne la retournent pas en profondeur mais se contentent de la gratter. Après, elles en font de petits monticules. »

Plus loin, dans ces champs desquels sortait la fécule que les consommateurs européens appellent tapioca, des planteuses opéraient par boutures, nous précisa ma mère en nous montrant sur le tas les détails de la méthode.

Le manioc ? Un arbrisseau dont le plus intéressant, pour l'usage qu'on en fait, se confond avec sa racine. Nous nous approchions de travailleuses qui coupaient des morceaux de tiges après avoir enlevé les feuilles tout en laissant les œilletons. Gampo et moi entendions les explications auxquelles se mêlaient des accents d'ambiance et des battements cadencés. « Voyez, on pique de biais les boutures. Les femmes en mettent trois par monticule. »

La suite du récit impliquait des mesures de temps qu'il était malaisé de nous faire apprécier.

Comment comprendre que les premières racines commencent à donner au bout de dix-huit mois ? Ce délai était abstrait pour Gampo, pour ma toute jeune cervelle, pour les gens du village qui ne connaissaient pas leur âge et dont la seule mesure du temps correspondait à la durée d'une lune. Mieux valait enchaîner : « Pour arracher ces racines enfin prêtes, les femmes grattent de nouveau la terre. Elles ne les enlèvent pas toutes en une seule fois, car une plantation produit sa récolte sur plusieurs saisons. »

***

La suite des choses nous fut détaillée un autre jour. C'était au cœur du village, non loin de Ngangia, tout près de Ngomokabi, à proximité de papayers aux fruits proches du tronc et d'un petit bananier donnant des régimes à la peau rouge tachée de noir. L'air sentait un peu la cendre et un je ne sais quoi procédant de l'opération qui s'effectuait. On avait fait rouir du manioc vénéneux dans une eau stagnante pendant quatre jours. Ensuite, la peau, sous les mains des femmes, s'était détachée d'un seul coup.

Un manioc devenu bien blanc se travaillait au village. Il pouvait rivaliser avec l'autre, le manioc doux. Des femmes s'en emparaient. Je les voyais faire après l'égouttage tout en laissant, de temps à autre s'infiltrer, par une trouée entre deux huttes, mon regard qui rejoignait la brousse des *matitis*, longues herbes dressées s'enfonçant dans le ciel. Le manioc était écrasé sur une planche, au rouleau, pour le débarrasser de ses filaments et de ses impuretés.

Enchaînant, ma mère me donnait un cours de cuisine : « Tu vois, de cette matière, on va faire de petites boules qui seront enveloppées dans des feuilles de bananier. Puis on les mettra dans une grande marmite remplie d'eau pour les cuire longtemps. »

Le principal du *béké-béké*, du « mange ce que tu as », du « mange ce que tu peux », se trouvait donc là, assez peu appétissant pour un dégustateur d'attributs de porc à qui sa mère s'obstinait à prouver qu'on peut réussir d'excellents mets avec du manioc.

***

L'occasion de nous faire connaître d'autres accommodements du produit lui fut donnée la fois où elle vint nous chercher en nous soupçonnant de projeter une escapade trop à l'écart. Or, il n'en était rien. Mais plutôt que fréquenter le village, côté cuisine, Gampo et moi nous attardions sur son aire de coiffure. C'était un endroit de détente idéal ; on y bavardait gentiment. Tout semblait drôle, y compris l'abandon de toute patiente – le mot n'est pas déplacé – qui confiait sa tignasse aux soins d'une compagne. Allongée à même la terre, elle avait la tête posée sur les genoux de la coiffeuse. Cette position moyennement confortable devait être conservée pendant des heures. Il fallait une bonne demi-journée pour démêler un système capillaire crépu à souhait à l'aide d'une épingle en fer. Cela se faisait cheveu par cheveu. Ensuite, la coiffeuse, ayant tracé une séparation au milieu de la tête, ramenait des tempes toutes les mèches sur le sommet du crâne pour les natter du front à la nuque. De tous côtés, la continuation de la natte devait être obtenue. La femme qui s'y employait remontait au fur et à mesure la coiffure destinée à s'achever finalement sous la forme d'un cimier plutôt exubérant.

L'auteur coiffé du casque colonial.

L'auteur, sa mère et Gampo.

Vers la cueillette des papayes.

Gankolo chatouillant Mondounga.

Gankolo, ses fines défenses, peu après son adoption,
faisant contraste avec deux pointes d'une taille record. A droite, Mondounga.

Cette technique alors en vogue dans l'artisanat local d'une Afrique retirée l'est aujourd'hui, avec nombre de variantes, dans des salons spécialisés de Paris et autres grandes villes. Le résultat final produit un bel effet. Et l'on ne sait si l'on doit le plus admirer la patience de l'exécutante ou celle de l'exécutée.

Patience! Le mot ne revêtait pas alors le même sens au Congo. Il se rapportait surtout à des occupations qui faisaient fi des heures égrenées sans y prendre garde.

***

Cette sagesse conduisait cependant à des aberrations. On pouvait s'attarder à tout faire, même à gaver un bébé sans avoir quelque idée de la ration maximale qui lui convenait. D'ailleurs, le devoir commandait de lui donner le plus possible à manger dans la mesure de l'alimentation disponible.

La femme tégué en conversation avec ma mère qui venait tout juste de nous appeler n'agissait pas autrement. A un moutard en herbe, elle faisait coûte que coûte absorber une bouillie de patates douces aussi abondante qu'épaisse. Le nourrisson piaillait mais elle n'en avait cure. Elle accomplissait ce qu'il fallait pour qu'on appréciât, autour d'elle, son dévouement maternel. Les témoins noirs de son effort abondaient dans ce sens. Seule, ma mère s'alarmait : « Mais tu vas l'étouffer, il en a assez. » L'adjuration se heurtait à l'incrédulité de la gaveuse. Elle non plus ne manquait pas de patience, récupérant ce qui débordait sur les joues et le menton du malheureux bébé pour le lui faire ingurgiter. Progressivement, elle réintroduisait le trop-plein dans la bouche du petit martyr qui se débattait de plus belle. Quelle meilleure preuve d'amour eût-elle pu offrir à son enfant? Elle l'aimait trop pour accepter de se comporter autrement.

Ma mère était à la fois admirative et atterrée. Elle se sentait impuissante devant cet entêtement. Des peaux nues luisaient à ses côtés. Des faces s'extasiaient. Un homme dans son coin, qu'on eût cru rêvassant, faisait sortir des sons d'un instrument curieux appelé *osélé*. Des gosses au nombril proéminent affichaient des ventres rebondis. Sur une natte de raphia, tel homme, telle femme, étiques et prostrés, attendaient la mort par la maladie du sommeil. Des êtres regardaient le vague et d'autres, l'horizon. Des rondes de diptères assaillaient des corps. Des poulets maigrichons picoraient entre nos jambes. L'Afrique de l'équateur continuait à vivre de son éternité.

Était-ce le meilleur instant pour que le *foufou* me fût révélé ? Allez savoir. Comme l'occasion se présentait, ma mère la saisit. Elle me fit voir, alors que je me trouvais toujours flanqué de Gampo, des racines de manioc coupées en quatre morceaux et exposées au soleil, ainsi qu'un peu plus loin, d'autres morceaux déjà secs que des femmes aux seins nus écrasaient et réduisaient en poudre.

« La farine obtenue est appelée *foufou.* »

Un tamis tenait son office pour l'amélioration du *foufou* destiné encore à être mouillé afin d'obtenir, avant cuisson, une pâte homogène.

***

De ce savoir congolais, j'ai reçu, en février 1983, comme un écho amélioré à la lecture d'un bulletin de presse de l'Institut national de la recherche agronomique qui me rendit tout de go aux heures de M'Pouïa. Les mots me pénétraient de leur saveur moqueuse, dans un halo songeur, sur fond de brousse à l'infini...

« *Les chercheurs de l'INRA vont peut-êre contribuer à l'introduction du manioc doux dans les régimes alimentaires de certains pays à la place du manioc amer; l'usage de ce dernier pose, en effet, des problèmes d'ordre nutritionnel, voire pathologique.*

« *Le manioc est consommé par environ 300 millions d'individus dans le monde; suivant les régions et les variétés cultivées, les préparations culinaires diffèrent. Dans certains pays, il est utilisé après fermentation ou en cuisson directe. Mais dans d'autres lieux, les variétés sont dites amères : elles contiennent une substance antinutritionnelle, l'acide cyanhydrique, qui doit être éliminé par rouissage. Cette opération fait perdre des éléments nutritifs à cet aliment déjà très peu équilibré et qui constitue pourtant la base alimentaire de certaines populations.*

« *Aussi essaie-t-on de remplacer les variétés amères, chargées de cyanure, par des variétés douces ne nécessitant pas de rouissage. Mais le manioc doux ne convient pas à la préparation culinaire traditionnelle de pays d'Afrique centrale, le* foufou, *base de la confection des pains de manioc : il donne une pâte trop gluante (c'est le rouissage qui apportait une structure par la combinaison des acides gras et de l'amidon).*

« *Les recherches du Bureau de Développement de la Production agricole (BDPA) ont permis l'augmentation des faibles rendements du manioc doux; mais il s'agissait encore* d'améliorer les qualités physiques des pâtes obtenues *avec ces variétés. Ce sont des chercheurs de l'INRA qui ont analysé le phénomène et très vite proposé une solution : pour combattre la viscosité du foufou de manioc doux, on ajoute, à la farine, des constituants de l'huile de palme, les* monoglycérides. *Scientifiques et ménagères ont considéré la nouvelle préparation comme tout à fait satisfaisante.*

*« Ainsi, les connaissances approfondies accumulées par les chercheurs sur l'*amidon et sur ses propriétés physico-chimiques *ont permis de résoudre ce problème en quelques semaines.*

« Une industrialisation du procédé est tentée au Congo; elle est d'autant plus nécessaire que beaucoup de femmes vivent maintenant en ville et que le foufou traditionnel impose une préparation biquotidienne. »

***

Cet exode rural aurait-il atteint M'Pouïa au point de l'avoir vidé de sa population ? Sur la plus récente carte en ma possession, j'ai été déçu de ne pas voir figurer son nom, face au village zaïrois de Tshumbiri, *na Boula matari*, et au terminus de la piste qui, à Ngo, sur le plateau, se répartit en plusieurs embranchements, chacun conduisant aujourd'hui vers un centre pourvu d'un terrain d'atterrissage. Oui, Gambala et Djambala ont leur place indiquée. Pas M'Pouïa; non plus d'autres villages de ma souvenance, en amont sur le fleuve ou ses affluents comme Makotimpoko. Les descendants de Ngangia et de Ngomokabi seraient-ils donc urbanisés, en minable concentration, loin des huttes ancestrales, promis, faute de temps, au foufou industriel ?

***

Laissant flotter en tête les noms de personnages quand je me les rappelle, j'admire le mérite désuet de fonctions villageoises lointaines et poignantes. Quelle femme, aujourd'hui, se montrerait aussi inlassable que Ngangia dans l'achèvement d'une œuvre de l'art coutumier. Peut-être, dans quelque village hors des sentiers battus, à l'écart des fleuves, que le touriste ignore, que le négoce dédaigne, en existe-t-il une pour ne pas savoir qu'elle est assurément trop lente.

Ailleurs, on s'est organisé autrement pour produire vite et sortir de l'art vernaculaire à un prix abordable en grande quantité. J'en ai été le témoin consterné sous une latitude africaine identique à celle de M'Pouïa.

Je me trouvais, en l'an 1974, à Mombasa, cité grouillante où le visiteur du Kenya qui pousse jusqu'à l'océan Indien ne manque pas de passer. L'équateur de cet orient africain n'est pas soumis à l'oppression forestière. J'y ai d'ailleurs vérifié, une nouvelle fois, qu'on peut, à pareille latitude, se promener à l'occasion tête nue sans se condamner au coup de bambou, contrairement aux assertions paternelles. Dans toute grande agglomération kenyane, l'artisanat africain de pacotille se débite encore plus que nulle part ailleurs. La nausée m'est venue, dans certaines boutiques de Nairobi où, pêle-mêle, étaient à vendre cornes de dick-dicks, peaux de zèbres, sacs de dame en serpent, poils d'éléphant, colifichets prétendument tribaux. Et sur ce dernier point, j'essayais d'esquisser un portrait des Ngangia locales contraintes de répondre sans retard aux commandes des débitants. La réponse, je l'ai reçue dans un faubourg du port kenyan, à quelques lieues de rivages océaniques près desquels des bouquets d'arbres restent assez denses pour que le touriste y voie, de la fenêtre de son hôtel, gesticuler des colobes.

A priori, Mombasa n'éveillait guère ma curiosité. Hormis l'accoutrement sévère de groupes de femmes ismaéliennes croisées dans les rues, je n'y voyais rien de nouveau pour moi. Je restais sur des visions de grands espaces et de grande faune et sur le souvenir d'une théorie de chasseurs guettant une file d'éléphants prêts à traverser notre route, pachydermes imprudemment évadés du parc de Tsavo est. Ces nemrods à l'affût contribuaient-ils donc à l'approvisionnement des boutiques ?

Dans ce pays où l'idiome véhiculaire n'est pas le lingala mais le swahili, où bonjour se dit *djambo* et non point *mboté*, où le lion s'appelle *simba* au lieu de *nkosi*, je restais néanmoins disponible pour répondre à la première résonance qui eût quelque parenté avec celles des emprises congolaises.

***

Ce coup au cœur se produisit alors que j'attendais, dans un faubourg très pauvre du port de Mombasa, un chauffeur de minicar qui s'était absenté un quart d'heure pour aller voir sa mère. J'entendis des voix qui répétaient des leitmotive un peu comparables à ceux de piroguiers. L'enchaînement des mots chantés et rythmés laissait percer cependant comme une sourde lassitude. Guidé par cet appel, je me faufilai le long d'une ruelle à la recherche des hommes dont l'expression me bouleversait. Il y avait du negrospiritual dans ce qu'ils exhalaient. Que racontaient-ils ? J'empruntai une autre ruelle tandis que le leitmotiv, en se rapprochant, me semblait plus lancinant encore. Et soudain, je les vis, les successeurs dévoyés de Ngangia, travaillant à la chaîne sous un auvent recouvert d'herbes de savane. Un contremaître kenyan marchait de long en large. Il tenait à la main un attribut de son autorité capable de rappeler l'un ou l'autre au respect des cadences imposées. Pas question de traîner. Chacun des ouvriers avait une fonction précise. Le premier tailladait rapidement dans la matière brute, préparée au gabarit. Son voisin assurait le relais en effectuant des tailles complémentaires avec la rigueur d'une mécanique. Les suivants, à leur tour, grattaient, ponçaient ou polissaient précipitamment. Tout cela dans la répétition du chant des aisances perdues et des joies prisonnières. Grâce à ces stakhanovistes forcés, les clients les plus jobards des voyages organisés pourraient emporter des cadeaux africains pour épater les parents et amis. Épouvanté, je me repliai. Décidément, décidément, j'avais été trop mal élevé sur les bords du Congo.

CHAPITRE V

Tam-tam télégraphe

Le vécu qui resurgit de très loin n'obéit pas à une rigide chronologie. Je serais bien incapable d'établir un ordre exact des faits que je relate. Pour la plupart d'entre eux, je me contente de les avoir solidement ancrés en mémoire. L'année de leur survenance importe peu. L'âge que j'avais alors n'a pas non plus d'intérêt majeur. Disons simplement, sans autre précision, que presque toutes les histoires que je m'apprête à faire revivre ont dû se produire dans la deuxième partie de mon séjour, sinon sur sa fin. Il n'empêche que, pour ces récits, il me reste impossible de garantir la véracité de l'ordre choisi par rapport à la marche du temps.

En toute logique, mes yeux se sont ouverts de plus en plus. Les sens de l'enfant qui grandissait connurent un développement en concordance avec la croissance corporelle. Rien de plus normal. Or, dans ma situation, j'allais être servi à l'excès par les assauts de ce qui demeure inoubliable.

Ravi de ce privilège, je n'éprouve nul besoin d'enfler mes récits. Je repousse toute fabulation. Mais j'ai conscience qu'on peut y verser sans y prendre garde. Quand je donne à penser que Ngangia polissait des statues en permanence, je commets vraisemblablement une erreur d'interprétation. Ne prêtais-je pas attention à un trait hors du commun seulement quand il me sautait aux yeux ? Finalement, combien de fois cela s'est-il produit, sous mon contrôle, en trois ans ? Si, d'autres jours, elle s'en était allée, une gargoulette sur la tête, chercher de l'eau pure à la plus proche résurgence, je faisais abstraction de son existence sans l'imaginer parfois différente. En tout état de cause, la réceptivité d'un individu ne peut être totalement rigoureuse. Plus que la lettre, elle épouse l'esprit de ce qui a été vu, senti et entendu. Demeure l'essentiel. Et quand l'effort de sincérité ne se relâche pas, quand ses exigences se confirment, l'espoir de n'être pas mis en doute les accompagne tout au long des reconstitutions qui se font jour.

*
* *

Aussi ai-je choisi, après ce préambule, sans aucunement déborder sur l'imaginaire, de parler des prodiges du tam-tam télégraphe. Chaque fois que je l'entendais, une rupture de l'ordinaire devenait prévisible pour le court terme. Bientôt, un homme du village (il me semble que c'était toujours le même) venait jusqu'à mon père pour lui confier le message tout récemment capté et sitôt relancé. Ainsi, la grande et la petite chroniques des postes éloignés, des villages éparpillés dans l'immensité congolaise parvenaient-elles jusqu'à nous. On savait qu'un personnage partait en voyage ou qu'il revenait de loin. La mouvance inhabituelle d'un troupeau d'éléphants, les débuts d'une épidémie préoccupante, la progression, sur une piste encore éloignée, d'une colonne de porteurs connus ou inconnus : autant de nouvelles donnant lieu à message par tam-tam télégraphe. L'instrument enchanté était alors donneur d'ordres. Des mobilisations improvisées pouvaient s'ensuivre. Des préparatifs bizarres découlaient parfois de ses terribles envois.

*
* *

Le plus stupéfiant résidait dans certaines précisions des détails transmis, compris et repris. On n'apprenait pas seulement que telle embarcation aurait toutes chances, bientôt, d'accoster à M'Pouïa. La raison d'être du transport entrait dans la divination.

Certes, le profane soumis à la cascade des sons projetés par ce tam-tam fabriqué en creusant une pièce de bois risquait peu de discerner l'existence d'un code n'ayant peut-être rien à envier à ceux du télégraphe Chappe ou du morse. L'espacement entre les battements, l'ardeur ou le ralentissement de l'émission, la tonalité des envols dans les ondes conservaient un sens seulement accessible à ceux qui entraient dans les secrets d'un instrument aux sensibilités omniprésentes.

Ses émois me remuaient surtout quand ils se manifestaient en dehors du jour. La nuit semblait mieux porter ses accents dans un délire d'insectes et d'expressions animales. Le présage, l'oracle, peut-être l'ordalie s'y trouvaient associés. Quel mystère allait se déchirer ? Qu'apprendrait-on qui ne fût prévisible ? Pas encore endormi, dès lors désireux de ne point l'être, ou curieusement réveillé, j'attendais l'irruption de l'estafette annonciatrice. Toujours, Mondounga recevait l'information alors que les prêtres du tam-tam auraient pu, à leur convenance, la garder pour eux-mêmes et ceux de leur ethnie.

⁂

Dans ces conditions, nul n'était en mesure de débarquer par surprise à M'Pouïa où d'y apparaître par la voie terrestre sans être annoncé. Tous les administrateurs en tournée d'inspection ont vite abandonné, de ce fait, la prétention d'arriver à brûle-pourpoint dans quelque village. Mais avant d'en prendre leur parti, ils tombèrent des nues à voir tout préparé, tout bien en place pour leur première réception. Et dire que la plupart d'entre eux avaient d'abord cultivé l'illusion d'êtres maîtres de l'improviste. Quand un tel novice faisait connaissance avec mes parents, ceux-ci lui avouaient, avec un soupçon de malice : « Nous vous attendions. »

Les autres aussi avaient eu tout le loisir de s'organiser pour exploiter la venue de l'administrateur débutant dans le secteur. Toutes affaires à plaider allaient être déballées, et l'on s'y préparait. De vieux conflits internes, remis sur le tapis, donnaient lieu à des rebondissements de palabres assortis d'arguments conçus au goût du jour dans les heures précédentes. Pris de court, le fonctionnaire ne savait à quel saint se vouer. Il s'embrouillait et on l'embrouillait. Comme son affectation n'avait pas été accompagnée de cours accélérés du dialecte en vigueur dans sa division administrative, toutes les chances d'y perdre jusqu'à son latin se trouvaient réunies. Les belles leçons de l'École coloniale s'avéraient vaines à l'épreuve de ce piège inhérent aux libertés fracassantes du tam-tam télégraphe.

D'abord peu charitables, mes parents rigolaient. Puis, se faisant obligeants, ils offraient d'aider à faire surgir un peu de clarté du débat amorcé. Avec un ou deux interprètes congolais et autant de traducteurs européens, un verdict équitable, reconnu par les parties en présence, ne s'annonçait pourtant pas comme une certitude. La bousculade des arguments respectifs compliquait le règlement d'un problème qui avait déjà trouvé sa solution dans le cadre de la justice tribale. Mais à quoi aurait principalement servi un administrateur sans la possibilité de faire appel devant lui ?

Même pour un enfant en âge préscolaire, ce spectacle méritait d'être suivi. Sur le moment, il me déroutait de bout en bout. Mais l'atmosphère dans laquelle la polémique baignait m'amusait énormément. Cela valait la peine, après coup, de solliciter un résumé clair et concis des origines et des rebondissements de la chicane. Autant demander l'impossible. Comment saisir tout le sel d'un nœud d'intrigues interminables, étant entendu qu'une femme avait d'abord été enlevée à son possesseur et – circonstance aggravante – sans versement d'un dédommagement ? L'accusé, affirmant tout le contraire, attendait, de l'objet vivant du litige, une déclaration de consentement spontané et enthousiaste. Mais la femme, présente tout le long de l'empoignade, tâchant de ne se compromettre ni dans un sens ni dans l'autre, accumulait comme à plaisir les déclarations contradictoires. Racine n'avait rien vu et le théâtre de boulevard vraiment rien inventé.

Naturellement, mon père trouvait navrant que la justice européenne, en toute impuissance, se substituât lamentablement à celle, pas plus imprécise, qui pouvait être rendue, par le chef coutumier, au cœur d'un village congolais. Il n'avait pas de mots assez durs pour stigmatiser des pouvoirs publics fonctionnant en vertu de carrières en zigzags ayant pour corollaire une discontinuité de la compétence dans l'espace administratif. Autrement dit, il savait d'avance que le fonctionnaire de bonne volonté reçu à M'Pouïa serait muté loin de là, quelques années plus tard, alors qu'il aurait enfin enregistré les us et coutumes, le langage et les spécificités des populations placées théoriquement sous son autorité. Son successeur mettrait, lui aussi, longtemps à se sortir d'embarras. Et il aurait, pour sa part, à recommencer au diable un apprentissage ethnologique minimal. Un intérim aveugle régnait dans les périodes intermédiaires.

Se figurait-il, le bizuth sympathique mais paumé dont nous venions de faire la connaissance, que les étranges apports du tam-tam télégraphe lui seraient confiés, avant longtemps, au creux de l'oreille ? Non, il resterait livré à lui-même, incapable d'entreprendre le moindre déplacement sans que les malins inspirés qui faisaient courir de loin en loin les messages les plus incroyables, les plus ahurissants, les plus sulfureux rendissent ridicule, d'avance, sa démarche.

***

Les tam-tams semblaient aptes à tout traduire, de ce qu'on décelait ou de ce qu'on rapportait d'intéressant à colporter. L'air sublimait les sons qu'ils léguaient en fièvre, permettant à ceux-ci de ricocher jusqu'aux cinq cents diables.

Le pouvoir de révéler certaines bizarreries excitait les batteurs au débouché de soirs promis à l'insolite. Sinon, pourquoi auraient-ils donné un relief sonore à une grave indélicatesse commise par le titulaire du poste de Ngabé ? Or, ils le firent, sans traîner, dès que le boy du coupable eut constaté l'anomalie d'un geste hâtif suivi d'un rembarquement en pirogue pour retourner vers l'autre rive, *na Boula matari*.

De ce manège aussitôt dévoilé, les hommes dans la confidence ne mirent sans doute pas longtemps à établir la cause. Le tam-tam télégraphe, comme les perroquets, pouvait franchir le fleuve. Les témoins d'une rive adressaient des nouvelles, cueillies sur le vif, à ceux qui vivaient de l'autre côté de l'eau. Quelqu'un qui, au jeu, perd gros, ne passe pas inaperçu de l'homme noir servant à boire au cours de la partie. Et l'information court dans les airs, éperdument. Peut-être même les piroguiers qui avaient raccompagné l'imprudent à son poste la connurent-ils déjà par le bouche à oreille.

De Kwamouth, théâtre d'une honteuse malchance, à Ngabé où le responsable de factorerie, piégé par de vains défis, savait comment trouver les fonds qui lui manquaient, le détail initial avait pu se répandre, par l'air porteur, comme de l'un à l'autre.

Savait-il déjà ce qu'allait faire l'homme aux abois, le boy malicieux qui ne perdit rien d'un comportement non conforme au devoir ? Était-il averti ? Qu'importe. Il n'aurait pas assisté, l'œil fouineur, à un manquement manifeste sans l'extérioriser. Le *Mondélé*, repéré, non point la main dans le sac mais dans le coffre-fort, se trouvait inéluctablement promis à la fête des ondes, nommément catalogué.

Le long des rives et d'un bord à l'autre, les relais du tam-tam télégraphe se répartissaient sur des dizaines de kilomètres. Par les terres, les messages épousaient un plus long circuit, de Ngabé à M'Pouïa. Ils devaient contourner d'assez vastes densités forestières, bifurquer sur le plateau, rebondir en direction du fleuve. Peut-être la gênante histoire de l'homme de Ngabé s'était-elle répandue sur les deux parcours. D'autres piroguiers s'en seraient-ils emparés ? En tout cas, tout près de chez Mondounga, les préposés au captage et à la relance du tam-tam télégraphe reçurent un signal. Entre initiés et informateurs, la nouvelle prit forme.

* * *

L'estafette affichait des airs mystérieux sur le seuil de la maison. Se mêlaient des chuchotements et des exclamations. D'intrigants silences alternaient avec la reprise de troublants apartés. Ma mère entrait dans de fébriles conciliabules. Et moi, à l'écart, tentant de saisir le fil de l'événement, je restais interdit. A quoi tout cela pouvait-il donc rimer ?

Des exclamations fusaient, précédant des moments de mutisme consterné. Le messager accompagnait de gesticulations certaines de ses réponses. Non, non, ce n'était pas un simple soupçon, encore moins une invention. On n'avait pas à se tromper. D'abord déconcerté, mon père en venait à faire preuve d'une impérieuse résolution. Il disait, il répétait : « Il faut que je parte, il faut que j'y aille. »

Une délation maligne l'obligeait à se saisir de l'affaire sans tergiverser. Un de ses agents était en cause. Il se devait de prendre une initiative. Les badauds de village mis dans le secret pouvaient s'y attendre. Combien guettaient, sans se montrer, sa réaction ? Impossible, pour lui, de ne pas bouger. De toute manière, il fallait crever l'abcès.

Dès le départ de l'oiseau de mauvais augure, mon père laissa éclater sa fureur. Les phrases qu'il lâchait en rafales contribuaient à m'éclairer. Sa condamnation de tous les jeux d'argent et de tous les joueurs survenait, lourde de sens. Et il s'interrompait, comme pour rassembler ses idées, avant de reprendre... « Quand même, un garçon si bien ! » Là-dessus, j'écoutais l'énumération de toutes les qualités de la personne en état de délinquance. « Sa famille ne mérite pas pareil réveil, ajoutait-il. Mais comment lui éviter cette épreuve ? Il faudra bien rembourser. »

Mon père marchait de long en large. Après avoir clamé qu'il tombait de haut, il prétendait, sans crainte de se contredire, qu'il avait craint le pire de ce trop faible collaborateur dès la première manifestation de son foutu défaut.

Dans sa bouche, l'expression reflétait son exacte pensée. Une fois supplémentaire, il clamait son exécration des casinos, des « rien ne va plus » et des « faites vos jeux », des roulettes, des croupiers et plus encore des tripots. En l'occurrence, un cas brûlant qu'il ne pouvait éluder le renforçait dans son sentiment. D'un homme en principe justiciable des tribunaux, il se savait responsable. C'était son agent, son délégué, dans une factorerie dépendant de son contrôle et de son autorité.

Père n'avait pas fini d'en dire. Il se libérait encore, en de successifs jets de paroles : « Les crétins de Kwamouth n'ont pas eu de peine à débaucher une dupe d'avance peu soupçonneuse... D'entrée, cet imbécile était ratatiné. »

***

Kwamouth étant *na Boula matari*, il y avait assurément une raison supplémentaire de se méfier. Mais l'Afrique du maléfice n'inspirait pas, hélas, à tout un chacun, de troubles pressentiments.

« Julien, tu ne vas quand même pas te mettre dans tous tes états », suppliait ma mère qui n'en pouvait mais. Car Julien ne parviendrait pas à dormir. Il se sentait sous pression, irrésistiblement. Il lui tardait de rallier Ngabé, de débarquer à l'improviste car, bien entendu, il n'y aurait pas de traduction du tam-tam télégraphe pour le grotesque cachottier, épié en l'accablant instant de son délit, dénoncé *ex abrupto* dans le ciel, dès lors contraint à un pénible aveu.

L'homme de Ngabé nourrissait-il la hantise d'être si tôt démasqué ? Probablement pas à cette heure, bien qu'il craignît de devoir rendre des comptes avant d'avoir pu faire rentrer l'argent détourné. Ce ne serait pas une formalité d'obtenir l'envoi de ce qui manquait. Le secours à attendre allait, selon toute vraisemblance, provenir de la famille. D'ici là, il fallait aviser, gagner du temps.

Au mieux, le courrier mettait des semaines pour atteindre son destinataire et au pire un mois et demi. L'acheminement aérien appartenait à un avenir même pas esquissé. Lentes, très lentes restaient les liaisons postales. Les virements ne s'effectuaient pas par tam-tam télégraphe. Devoir attendre restait l'obligation.

Tout cela, mon père ne le savait que trop. Des lunes risquaient de s'écouler entre la demande formulée à un lointain correspondant et la réception concrète de sa réponse. Il voulait qu'il n'y eût point de scandale en dehors des villages batéké où l'on pouvait jaser, entre gens de l'ethnie, en s'amusant de cette mésaventure. Mais dans la société coloniale ? Non, ce qui lui avait été révélé n'alimenterait pas les cancans de dîners prétendus élégants.

Il se retiendrait, non sans mal, de pousser jusqu'à Kwamouth pour vitupérer des mœurs dignes du bonneteau. Mais à Ngabé, face à un seul interlocuteur, sans le moindre témoin – (ni boy ni qui que ce fût, il en donnait sa main à couper) – après de douloureux aveux et une semonce en règle, une solution décente serait arrêtée.

***

Après une nuit blanche, mon père s'était, en effet, embarqué pour Ngabé. Les pagayeurs furent parfaits. Ils ne donnèrent jamais à penser qu'ils savaient le but réel du voyage. Le courant fut descendu dans la répétition d'une phrase maîtresse, en chœur d'accompagnement, tandis que les pagayes fendaient l'eau du fleuve en accélérant l'entraînement de la pirogue. Mondounga les croyait dans le secret mais ne s'étonnait pas d'une décontraction qui n'en laissait rien paraître. Uniquement possédés par l'exaltation de chanter ce Congo, ils se donnaient sans peine à l'œuvre de leur vie.

A Ngabé, l'entrevue fut sans détours. L'un dit gravement : « Je sais. » L'autre, comme foudroyé, demanda : « Mais comment ? » La réponse fusa, laconique : « Peu importe. » Plus tard, beaucoup plus tard, il paraîtrait peut-être de bon ton d'évoquer des magies de la brousse. D'ici là, de telles explications appartenaient au superflu. Le tam-tam télégraphe n'était pas l'affaire de l'homme de Ngabé. Ne comptaient que les modalités d'un remboursement à l'amiable, exigé néanmoins en termes comminatoires.

Quand il revint à M'Pouïa, mon père se montra tout aussi lapidaire. Et de lâcher, en bref : « Nous nous sommes entendus. » Il en dit évidemment davantage à ma mère lorsqu'ils se retrouvèrent en tête à tête.

Le soir, des tam-tams résonnèrent encore. Mais c'étaient ceux de la fête. Le ciel équatorial laissait voir des étoiles. Il y avait clair de lune. Cela se célébrait. Les dispositions célestes invitaient à la danse en folie. La frénésie des pas fougueux, des tortillements de hanches, des frémissements de torses s'imposait seule à l'ordre de la nuit.

CHAPITRE VI

Canot automobile et machine à glace

Mondounga n'était pas doué pour la mécanique. Autant il savait tirer profit d'un mode d'emploi en matière de construction, autant il se trompait dans l'assemblage des pièces détachées d'une machinerie livrée en morceaux. Ses tentatives de reconstitution des puzzles industriels parvenus à bon port n'allaient pas sans retenir la curiosité émue de son entourage. Mais si les autochtones familiers de la factorerie, aussi incapables que lui-même d'effectuer un montage impeccable des éléments en présence, ne s'inquiétaient nullement d'un échec éventuel de la tentative en cours, ma mère, au contraire, faisait un louable effort pour voir les tâtonnements du petit groupe à l'œuvre couronnés de succès.

Évitant de s'énerver, calmant les impatiences et les irritations d'un mari trop prompt à décréter qu'il avait encore eu « une riche idée de commander un truc pareil, pour ainsi dire impossible à remonter », s'efforçant de léguer un peu de jugeotte à des participants très inégalement attentifs, elle parvenait presque toujours à la solution de bon sens qui s'imposait.

Si elle n'était pas plus compétente que les autres, elle se montrait réfléchie à bon escient, sans emballement intempestif et rejoignait avec bonheur les voies de la méthode. Parvenue au bout de ses peines, elle voyait les compagnons défaillants de son ouvrage qui s'esclaffaient avant de proclamer qu'elle était *mayélé mingi*, autrement dit très débrouillarde. Mon père, penaud mais épaté par les bricolages victorieux de son épouse, saluait avec soulagement une issue à laquelle il ne croyait plus un quart d'heure auparavant. Il tournait à son intention un compliment sous forme de boutade, puis lui confiait tacitement l'entretien et le suivi de l'appareil prêt à servir.

De ce fait, ma mère était appelée, en désespoir de cause, chaque fois qu'une mécanique, même élémentaire, faisait un petit caprice. Julien s'en remettait à Anna qui commençait sa vérification en recommandant au sinistré : « Calme-toi, je vais arranger ça. » Celui-ci, apaisé, attendait alors qu'intervînt le miracle qu'il sollicitait.

L'objet le plus couramment soumis à ce genre de dépannage était la machine à écrire – une Corona portative – sur laquelle mon père tapait son courrier et ses rapports. Un ruban qui faisait des siennes, deux touches qui se bloquaient à l'instant même où le dactylographe se trouvait pressé d'en finir devenaient prétexte à un appel au secours. Et ma mère, une fois de plus, remettait les choses en place avec toute la sérénité désirable.

Comme Gampo, comme Boutou, le serviteur attitré de papa, je suivais ces intermèdes à distance avec une belle philosophie. Ils se reproduisaient assez fréquemment pour qu'on en fît peu de cas. Chaque jour, nous y étions préparés, mais sans y penser ; ils ne pouvaient nous étonner durablement. Survinrent cependant quelques représentations exceptionnelles du genre qui occupèrent beaucoup plus longuement notre esprit.

***

Je veux surtout parler des essais de mise en marche d'une machine à glace, petite merveille choisie sur catalogue, et des efforts déployés pour faire démarrer un canot automobile réticent. Mais avant d'entrer dans le détail des relations tumultueuses de mon père avec ces deux inventions, il me semble souhaitable d'expliquer comment un homme assez peu sensible aux techniques de pointe en venait à s'encombrer de productions mécaniques dont il n'avait pas la maîtrise.

Maintes fois, je l'ai entendu dire qu'il optait, si les circonstances le permettaient, en faveur du « moteur à crottin », aux dépens du taxi buveur d'essence, à condition d'en avoir le choix. L'automobile l'attirait peu. En Europe ou à Brazzaville, il montait dans celle des autres sans ébahissement prononcé. Une voiture motorisée pouvait être, à ses yeux, un instrument utilitaire, faute de mieux, au même titre qu'un presse-purée, sans plus. Avec davantage de fantaisie que d'entêtement véritable, il conservait dans l'absolu l'âme d'un homme de cheval, même dans une partie de l'Afrique sans zèbre où un équidé domestique, ne résistait pas longtemps aux « câlineries » des trypanozomes.

Malgré tout, il se laissait parfois prendre aux mirages de ce qu'on appelait alors la réclame. De loin, il devenait curieusement vulnérable à ses ensorcellements au point de commander des choses qui allaient à l'encontre de ce qu'il professait. Récidiviste dans le paradoxe, il héritait alors d'engins qui, dès leur réception, faisaient de lui la proie d'un évident désarroi.

Peut-être s'était-il d'abord imposé de réagir contre un état d'esprit jugé trop entier par ceux qui, au hasard des échanges d'idées, écoutaient ses théories. En tout cas, au bout du compte, il connaissait l'embarras. L'histoire de la poule qui a trouvé un couteau s'appliquait alors à sa situation.

Il s'est mordu plus d'une fois les doigts au reçu de commandes qu'il avait faites sans y croire pour ne pas paraître rétrograde et pour prouver à la cantonade que, dans la pratique, il se gardait de tout sectarisme. Les lectures de catalogues alléchants – celui de Manufrance et quelques autres – l'aidaient grandement à se forger cette image finale. Outre la vulgarisation de trouvailles dignes du concours Lépine, ils vantaient les mérites d'applications industrielles toutes récentes. Parvenus au centre de l'Afrique, ces livres d'images publicitaires faisaient l'objet d'un épluchage narquois jusqu'au moment où l'œil se laissait insidieusement séduire par un attirail aux vertus garanties, vanté avec à propos par le texte comme par l'illustration.

Pourtant, je n'ai jamais compris comment un laudateur inconditionnel de la pirogue comme moyen de transport idéal sur le fleuve Congo avait pu se fourvoyer au point de commander un canot automobile dans un instant d'égarement. Quelle ne fut pas sa stupéfaction quand il reçut en pièces détachées une embarcation à moteur qui n'avait jamais été celle de ses rêves!

***

Par quelle mouche s'était-il laissé piquer? Que penseraient les pagayeurs, sinon qu'il se moquait d'eux? Car de deux choses l'une : ou bien le canot automobile tenait ce qu'il promettait et son acheteur aurait l'air de mépriser la batellerie locale, pourtant si pratique, à moins qu'il ne fît naître, chez ses habitués, de vains besoins incompatibles avec leurs moyens; ou bien Mondounga se montrerait incapable d'assembler correctement des éléments épars, répartis en plusieurs caisses, et l'autonomie de propulsion de son bateau individuel serait sérieusement mise en doute.

Son prestige allait être soumis à rude épreuve. Le passage, hélas trop court, de Gazengel entre deux campagnes de balisage, lui fit espérer que, grâce au concours de ce solide connaisseur de la navigation à vapeur, mécanicien jusqu'au bout des ongles, il parviendrait à se tirer d'embarras. Mon parrain, faute de temps, ne put s'attarder beaucoup dans le labeur d'assemblage. Attendu d'urgence pour je ne sais plus quelle mission, il laissa, pour la suite du travail, un ensemble de directives qui ne trouvèrent pas, on le constata, de traduction fidèle. Ma mère, seule, avait à peu près compris une partie de ce qu'il fallait faire. Mais pas tout, à vrai dire. Lues et relues, les prescriptions de montage ne suffirent pas, en dépit de chatouilles diverses, à rendre obéissant le moteur du canot automobile.

Qu'avait-on oublié ? Quel écrou était trop ou pas assez serré ? Quel élément souffrait d'une affectation imprécise ? Les bras tombaient devant ce casse-tête. Les Boubangui baguenaudant à proximité de la mise en eau assistaient, mi-réjouis mi-navrés, à la démonstration par l'absurde de la supériorité de la pirogue à propulsion manuelle. Comment sauver la face dans cette ridicule aventure ? Mon père disait : « Essayons encore. » Mais ce bateau, normalement lesté de carburant et de lubrifiant, restait résolument immobile malgré tous les gestes consentis pour le faire démarrer. On n'en tirait pas le moinde éternuement.

Au milieu d'un évasement de la rivière de M'Pouïa peu avant sa rencontre avec le Congo, mon père, quittant son volant, se redressait, tout dépité et ulcéré comme jamais. En se mettant debout, il faisait tanguer ce canot lamentable qui n'avait d'automobile que le nom. De guerre lasse, il se résigna à regagner le bord dont s'était éloigné le contrariant bateau sous la seule influence des mouvements de l'eau. Pour ce faire, il dut demander, suprême humiliation, l'envoi d'une pagaye. On ne pouvait rêver plus piteuse démonstration des fragilités du concept d'énergie chez les *Mondélé*.

***

Si mon père, pour l'usage terrestre, gardait des faiblesses à l'adresse du moteur à crottin, les Boubangui témoins de cette probante performance avaient tout lieu d'accorder un plus sûr crédit à l'argotique « huile de coude ». Mais on ne pouvait en rester sur cet éclatant échec. Gazengel, le sauveur, finirait par réapparaître. Et faute de m'emmener pour baliser l'Oubangui, il réussirait sans aucune doute à faire démarrer le canot automobile. En effet, dès qu'il en eut le loisir, il y parvint. Cette tardive revanche ne fut pas de longue durée. On vit bien, pendant quelque temps, mon père se déplacer, grâce à l'usage du moteur, sur des eaux riveraines sans jamais trop s'éloigner. Il envisagea, certes, un jour, de conduire son bateau autonome jusqu'à Tshumbiri en traversant le fleuve *na Boula matari*. Mais pour plus de sûreté, une panne subite de moteur étant toujours à craindre, il fut tenté de réclamer une escorte de pagayeurs à même, sur leur pirogue, de le récupérer ; abandonna cette velléité de peur de provoquer, après coup, la douce rigolade de ses sauveteurs.

Après l'ajournement sine die de son projet, quelques semaines s'écoulèrent dans la possession d'un bateau aux disponibilités opérationnelles volontairement restreintes. Elles virent s'espacer l'emploi prudent du canot automobile qui, malgré un usage modéré, s'immobilisa finalement du fait d'un mystérieux incident mécanique. Il fut examiné avec une maladresse insigne, puis abandonné à une inaction définitive sans laisser de regrets excessifs.

***

De la machine à glace, l'on attendait bien des satisfactions. Grâce à son bon fonctionnement, on aurait le plaisir de mettre des glaçons dans son verre. On lui ferait produire de l'eau solidifiée en veux-tu en voilà. Ce n'était pas un luxe dans la brousse équatoriale ; plus exactement, pour M'Pouïa au moins, il s'agissait d'une prodigieuse nouveauté. Vraiment, cette fois, mon père avait visé juste. Nous nous apprêtions à profiter d'une magnifique invention sous ce climat qui faisait tant suer son monde.

Certes, la bonne vieille gargoulette africaine méritait l'estime comme les amphores de l'antiquité méditerranéenne. Elle permettait de conserver la boisson sans qu'elle tiédît désagréablement pourvu qu'on la plaçât en un endroit un peu frais. Mais on aurait mieux, infiniment mieux dorénavant.

Un vif intérêt, proche de l'enthousiasme, se manifesta dès le débarquement de la géniale chose destinée à révolutionner notre existence. Avant son déballage, on la caressait déjà des yeux. M'Pouïa se mouvait d'avance dans le sensationnel. Nous allions avoir à domicile, sans ses cruels inconvénients, les avantages du pôle.

La joie régnait et brillait dans les regards. Des conseils de pondération fusaient : « Attention, c'est fragile. » Des hommes, qui imaginaient d'ailleurs assez mal la réalité imprudemment prédite, esquissaient des pas de danse. Ils semblaient prêts à scander les louanges de l'appareil élaboré au mythique pays des Blancs. La figuration était en place. La fête pouvait commencer.

Il me semble bien que mon cœur battit à l'unisson. Je ne voulais pas perdre une miette de ce qui se déroulait. Je guettais avec impatience la suite des opérations. Que n'allais-je pas voir ? Le clou de la journée serait, bien entendu, l'entrée en service de la fabuleuse machine à glace.

La glace ! Un mot qui ne suscitait, dans le peuple de M'Pouïa, qu'une vision incertaine. Ce terme, indéfinissable pour l'heure, ne risquait pas d'avoir de traduction en lingala ou en kikongo ; pas davantage dans l'idiome spécifique des Batéké. Il ne signifiait rien mais il tendait vers l'absolu.

Quand vint le moment du déballage, des consignes furent données pour que chacun veillât au plein contrôle de ses mouvements. Ici et là, j'entendis des *Kanga monoko*. En français châtié, on traduira par « Veuillez vous taire ». Mais l'expression littérale est plus imagée : « Ferme bouche », étant entendu que *monoko* concerne ce qui se clôt et s'ouvre. C'eût pu être aussi bien une porte ou un bouchon.

Les déballeurs furent sans reproche. Les principales parties de la machine à glace nous apparurent. Je ne me souviens absolument pas de leurs formes ; non plus de l'aspect final de l'appareil. En revanche, je me revois parfaitement, le nez collé sur cette illustration de la technique moderne d'Europe qui, avant de marcher, faisait tant remuer les langues d'un village noir au cœur de l'Afrique.

Ma mère n'arrêtait pas de recommander à Gampo de me retenir. Peine perdue ! Presque aussi avide que moi-même de voir démarrer la machine fantastique, il me suivait plus qu'il ne me surveillait.

***

Il ne suffisait pas d'ériger l'engin, de l'ordonner, de le vérifier. Encore convenait-il de l'alimenter selon les dosages prescrits. Ce fut pour moi l'occasion d'entendre, à l'énoncé du mode d'emploi, mon premier cours de chimie – peut-être aussi de physique – dont je ne retins qu'un mot : ammoniac. Il allait se révéler lourd de sens.

Là-dedans, il y avait donc de l'ammoniac et, prétendaient mes parents, d'autres liquides avec lesquels il fallait prendre des précautions. Le système devait chauffer pour réussir à solidifier l'eau. Et cela me paraissait d'un fol illogisme. Je demandais une preuve tangible. Pressé d'en prendre connaissance, je voulais me trouver aux premières loges.

Mes parents, Gampo, Boutou, les badauds de M'Pouïa et moi, l'enfant blanc parmi les négrillons, retenions notre souffle. Oui, la machine à glace commençait à remplir son office, mais dans un bruit bizarre, un drôle de zinzin. Était-ce normal ? Pourquoi pas ? Ah ! l'ineffable instant ! J'entendis encore, lancé à mon adresse : « Ne t'approche pas trop. » On allait juste me tirer énergiquement par la main quand survint l'explosion. Un jet d'ammoniac, comme libéré par une bombe, se répandit dans un fracas. Au même instant, une nuit brutale fondit sur moi. Mes paupières n'obéissaient plus. Elles restaient rabattues. Des cris de panique m'environnaient. On se pressait autour de moi. Je sentais mon père, ma mère, Gampo. Et je pleurais parce que mes yeux me brûlaient et parce que j'étais aveugle.

***

Tout le monde crut que je le demeurerais. Porté jusqu'à ma chambre, allongé sur mon lit, je percevais d'anxieux conciliabules. Des gens du village venaient aux nouvelles. Ils trottaient dans mes ténèbres. Alors que je me trouvais dans l'incapacité de les voir, leurs voix me parvenaient dans une meilleure tonalité. La perte d'un sens en renforçait un autre. Pourtant, je me laissais entraîner dans un univers irréel qui, peu à peu, me comblait. La machine à glace était sortie de ma tête. Je me trouvais ailleurs, n'importe où, avec M'Pouïa en toile de fond délavée.

Lequel des M'Pouïais faisait allusion aux *nagangabouka* ? Il était envisagé de me conduire chez eux, les médecins qui savaient soigner, qui savaient guérir. Mais ils se trouvaient à plus d'une journée de pirogue. Mes parents durent hésiter avant de préférer attendre le verdict des prochains jours. Ma mère avait organisé, dans ma chambre, le noir intégral, comme au temps de M. et Mme Lestaupes, les prédécesseurs claustrés. Même paupières closes, je ne devais pas être blessé par la lumière diurne. On me lavait les yeux, on m'appliquait des pommades, on obtenait enfin de moi une quiète sagesse.

Je ne sais plus après quel délai je compris que seule une vive irritation des mes paupières m'avait empêché de distinguer les choses. Elles cessaient d'être obstinément fermées et commençaient à glisser le long des yeux. « Julien, il voit, il voit. » La joie revint en fanfare. On arrosa l'événement en sortant une gargoulette de son coin de relative fraîcheur. La machine à glace n'offrait vraiment aucun intérêt. Pas question de refaire l'expérience de cette démoniaque conception. Mon père ne voulait pas avoir des morts sur la conscience.

CHAPITRE VII

Magnans et pythons chez les cochons

Qui se dispensait la plupart du temps de sacrifier à la sieste dans ce Congo aux débuts d'après-midi paresseux ? Ma mère, sans se faire violence. Cette vaillance lui valait l'admiration générale. Mais comment faisait-elle ? Si on le lui demandait, elle répondait qu'elle n'avait pas sommeil à une heure où tout le monde bâillait et que, dans ces conditions, son mérite était nul. Elle profitait donc de cette inexplicable bonne forme au pire de la canicule pour apprendre à mieux vivre en séjour congolais. Dans leur demi-sommeil, des êtres mollement étendus la voyaient déambuler en un M'Pouïa qu'elle auscultait, qu'elle jaugeait, qu'elle analysait sans le vouloir et sans le savoir. Dans la plus respectable torpeur ambiante, elle prenait plaisir à soliloquer en apparence, c'est-à-dire à entrer dans la confidence de fleurs, d'arbres, d'oiseaux et de bêtes, comme séduite par l'exemple ancien du Povorello d'Assise. Elle ne s'ennuyait jamais. De retour sous sa véranda, elle trouvait aussitôt à s'occuper valablement quand elle n'allait pas s'enquérir, du côté des porcheries, de ce qui se passait de nouveau.

A ce moment de grand farniente, presque tous les cochons se prélassaient dans la nature. Ils n'y manquaient pas de refuges à l'ombre. Comme la faune sauvage, ils se complaisaient provisoirement dans l'inactivité grognonne.

*
* *

Ceux qui demeuraient à la porcherie étaient des éclopés, de tout jeunes pourceaux et des truies sur le point de mettre bas. Celles-là réclamaient une protection que ma mère leur accordait bien volontiers. Elles se vautraient avec délice dans de petits enclos à part, aménagés de manière très fonctionnelle sous la direction de mon père, selon des plans relevés dans des manuels d'élevage dernier cri. Quel contraste que celui de ces beaux agencements avec ses déconfitures mécaniques ! La vie porcine, grâce à sa connaissance du sujet, bénéficiait de conditions optimales, toutes proportions gardées, compte tenu de ce que devenaient parfois, dans l'espace séparant le fleuve du plateau batéké, les rapports entre espèces animales sauvages et domestiques.

Mais nous n'en sommes pas là. Le souci courant portait sur l'organisation de naissances sans drame. Il s'agissait, pour ma mère, d'un chef d'intérêt primordial. Elle tenait le calendrier des grossesses de ses bêtes. Aussi prévoyait-elle, à un jour près, la date de chaque accouchement. Quand une mise bas approchait, elle tenait à entretenir le bon moral de la future mère en lui adressant d'apaisants propos. Quelques grognements de contentement lui répondaient. Elle semblait en être très flattée. Mais tout était-il en bon ordre ? La solidité de l'enclos, de ses barrières de bois, paraissait rassurante. Donc, pas de risque d'envahissement de la prochaine crèche par des verrats au cannibalisme gourmand. Sécurité oblige. Tout se passerait bien. Pas d'infanticide alimentaire en perspective. D'ailleurs, à l'échéance, ma mère se trouverait à pied d'œuvre pour que toutes les chances de dissuasion fussent réunies.

Une précaution qui, dans la vie sauvage, relève strictement de l'initiative maternelle, dépendait de la prévoyance humaine dans une collectivité de cochons logés et protégés. On sait qu'une laie qui s'apprête à avoir des petits s'en va à l'écart pour épargner à sa portée un sort irréparable du fait de sangliers à la goinfrerie peu sélective. Afin d'être complètement ignorée des bêtes de son espèce, elle creuse une excavation à un endroit où nul ne la voit, fait un muret défiant le vent dominant avec la terre retirée et le recouvre du produit de ses divers arrachages. Ainsi s'accumulent au-dessus d'elle des branchettes, de hautes tiges, des arbrisseaux déracinés, du bois mort. Et de tapisser l'ensemble non sans oublier, par ailleurs, de confectionner une litière bien au sec. Ce n'est pas là qu'on viendra menacer les petits au moment de leur naissance. Du moins, le maximum a été fait pour que les nouveau-nés soient exposés aussi peu que possible à de féroces appétits. Quand ils sortent de là, ils sont assez vifs et assez remuants pour ne pas être pris pour de l'informe chair fraîche.

Chez les suidés africains de brousse et de sylve, les femelles sur le point d'être mères ne font pas plus confiance aux mâles de leur compagnie. Les potamochères habitués des forêts ou des grands fourrés denses, les phacochères de la savane, fouisseurs impénitents, les nocturnes hylochères, ont tous des femelles qui savent, quand l'opportunité s'en fait sentir, où se trouve leur devoir.

Rien de plus normal que d'aider les truies m'pouaïses à accomplir le leur. On veillait sur elles et sur leur descendance avec attendrissement aux heures de la naissance et dans les jours qui suivaient. Quand tout l'effectif porcin avait, au soir, regagné le bercail, les places des uns ne devaient pas déborder sur celles des autres. Il y avait des quartiers réservés. N'y entrait pas qui voulait. Toutes les barrières de sécurité jouaient leur office. La vigilance ne se relâchait pas, même dans les moments animés du lâcher matinal.

***

A l'abri de l'aveugle fringale des géniteurs, les pourceaux nouveau-nés ne se trouvaient pas pour autant soustraits à tous les dangers congolais. Même restant sur leur litière sous sauvegarde maternelle, ils pouvaient être rejoints par ce que l'on appelle des ennemis naturels. Les plus difficiles à combattre lorsqu'ils se présentaient n'étaient pas les plus gros. Je le vis bien quand on vint annoncer un passage de ces fourmis guerrières au corps ambre foncé sur lequel se dessinent comme des reflets rougeâtres.

Quel but atteignait donc leur colonne compacte ? La porcherie moderne où une première vague commençait ses agressions. Le branle-bas de combat fut aussitôt décrété. Des mesures d'évacuation raisonnée devaient être prises d'urgence. Sinon ? Eh bien, là où le puissant défilé des carnassières rencontrait de la chair vivante, celle-ci était recouverte d'insectes boulimiques qui n'avaient de cesse de ne plus rien laisser du corps attaqué. Après leur nettoyage, seul restait un squelette.

Des humoristes inconnus au solide cynisme ont surnommé ces bestioles qui se répandent par myriades des « fourmis de visite ». Leur déferlement est toujours inopiné. Le plus sûr moyen de le rendre inopérant consiste à faire le vide en organisant la fuite des victimes potentielles. D'ailleurs, celles-ci réclament cette mesure à grands cris. Qui n'a pas entendu des centaines de cochons demander en chœur leur évacuation précipitée quand l'investissement par les fourmis magnans commence à prendre un aspect piquant ne sait rien des ressources phoniques d'une société porcine pareillement assiégée. Les porcs hurlent, se débattent, se heurtent, se blessent.

Ayant entendu leur délirant S.O.S., j'ai pu voir, dans la foulée, ce que cela signifiait de cruellement alarmant. Sur des centaines de mètres, les magnans s'étiraient. Mais d'où sortaient ces envahisseurs ? Certains M'Pouaïs remontaient, en prudent parallèle, leur large colonne. A force de s'éloigner, ils parvinrent à un remblai constitué d'un entassement végétal duquel sortait cette multitude.

A l'autre bout de la colonne, il eût été aussi inefficace que dangereux de vouloir écraser les arrivantes sous des piétinements. Pour cent fourmis ratatinées, mille autres auraient fait sentir méchamment leur présence sur les jambes des dérisoires écraseurs d'hyménoptères.

Seule une barrière de feu semblait capable de bloquer le plus gros de l'horrifiant défilé. On apportait des bottes de paille sèche pour les jeter enflammées sur les magnans en marche impitoyable. L'opération était répétée à quelque cent mètres en amont. Serait-ce suffisant ? Mondounga, qui avait subi quelques alertes de ce genre, pensait que la grande majorité des magnans ne franchirait pas indemne ce barrage.

Malgré la célérité de la réaction humaine, tous les cochons ne sortirent pas sains et saufs de ce drame. Quelques-uns furent transformés en une souffrante ondulation charnelle sous un grouillement de fourmis carnassières.

Au cours de l'évacuation, ma mère avait provisoirement fait entrer dans un local de repli habituellement peu fait pour eux les plus petits cochonnets avec les mères, en veillant à ce que chacun retrouvât les tétines familières.

***

Quand tout fut rentré dans l'ordre, des histoires épouvantables de « fourmis de visite » occupèrent le repas. Mon papa en connaissait de terribles comme celles d'assassins, voire de femmes infidèles, livrés à ces exécutrices ou de nourrissons dont on ne retrouva que les os. J'étais donc prévenu, ainsi que Gampo. Au cas où nous verrions déboucher les magnans quelque part, nous devrions nous dispenser de les approcher de trop près.

On nous raconta même que ces abominables créatures dites sociales mangeaient aussi les yeux des martyrs assaillis. Mais je dus attendre quelques lustres pour être éclairé sur leur biologie. Des entomologistes m'ont abondamment renseigné sur ces insectes qu'ils considèrent dans leur jargon comme « des agents sanitaires et régulateurs nullement négligeables de certains écosystèmes africains ». Leur dénomination scientifiques ? *Anomma*. Dans ce genre, il y a des reines aveugles et aptères et des ouvrières que leur cécité ne gêne pas outre mesure. Les mâles, dotés d'yeux et d'ailes, s'exposent souvent, dans le soir, à la lumière des lampes. Mais ces migrations effarantes, pourquoi ont-elles lieu ? Et comment ? Quotidien ou presque, le déplacement. Des centaines de milliers d'individus s'ébranlent, une fois de plus, dans un ordre d'une extrême rigueur. Il y a des ouvrières aux yeux inexistants, des femelles volumineuses, des sujets aux fortes mandibules. Des soldats s'activent sur les flancs de la cohorte. Ils protègent tout particulièrement des ouvrières plus menues mais courageuses en diable, porteuses du couvain. Les œufs, les larves, les nymphes sont transportés au centre du convoi. On ne laisse rien à l'abandon.

Et moi qui croyais n'avoir vu que des fourmis, encore des fourmis, rien que des fourmis, les unes étant les sosies des autres, dans ma contemplation d'ensemble partagée avec tous les témoins m'pouïais du phénomène !

***

Quant à la force des raids, qu'en dire ? Tout dépendrait de l'importance du couvain. Car il ne s'agit pas avant tout de changer d'air mais d'atteindre, de loin en loin, de nouveaux endroits où cette grande société mouvante, carnassière à cent pour cent, trouve en abondance le vivre le plus nourrissant. A la suite des plus profitables opérations, les larves recevraient leurs rations sous forme de boulettes molles. On devine que ces gâteries ne proviennent que fort rarement des prélèvements effectués sur des cochons. Les mets les plus communs sont constitués d'insectes rencontrés sur le trajet. Ceux-ci sont aussitôt submergés et décortiqués par le régiment nettoyeur qui avance de trente-cinq mètres environ en une heure, respectant tout végétal mais ne faisant pas grâce au reste. Sont inexorablement dévorés des rongeurs endormis dans des terriers trop à fleur de terre ou des serpents en plein sommeil digestif.

Différents hyménoptéristes attachés au genre *Anomma* ont remarqué aussi la débrouillardise des créatures qui en font partie face aux obstacles rencontrés. Voici des fourmis qui réagissent en faisant littéralement la chaîne. Elles s'accrochent les unes aux autres, se transformant en grappes. On les a vues franchir des ruisseaux de cette manière, voire résister à une inondation.

Jamais un scientifique, même volubile, ne se reconnaîtra quand même capable de répondre avec certitude à toutes les questions relatives à un pareil sujet. D'abord, précisera-t-il, ce n'est qu'un doryliné parmi soixante autres espèces africaines. A son propos on n'avance encore que des supputations sur les moyens de repère dont il dispose. L'odeur des pistes empruntées doit jouer dans l'orientation mais le soleil aussi y contribuerait. En tout cas, il y a des avant-gardes de reconnaissance constituées de sujets aveugles. Les mâles ne participent pas à cette opération. Les éclaireurs qui l'accomplissent ne s'attardent jamais à immobiliser des proies. Ce n'est pas leur travail. Il leur revient seulement de se montrer d'excellents détecteurs et des guides avisés. Derrière eux, les suivent d'impressionnantes cohortes de tueuses. Ils contrôlent leur train à l'odeur qu'elles dégagent. S'ils ne les sentent plus, ils s'arrêtent jusqu'à ce que se réduise la distance entre eux et leurs innombrables suivantes.

*
* *

En comparaison de l'engeance des magnans, les audaces d'un grand python africain à l'encontre de cochons ne sont que broutilles. Ce serpent faisait cependant partie de l'iconographie de M'Pouïa que j'avais eue à connaître. Mon père, en effet, ressortait parfois la photographie de l'ophidien gavé par l'absorption à la file de trois petits cochons, pas moins, qui transformaient en dos de dromadaire le milieu de son corps. Ce document ne manquait pas de faire impression. Derrière le reptile allongé, dont la colonne vertébrale venait d'être brisée à coups de gourdin, l'on voyait Mondounga et quelques M'Pouaïs fiers de leur prise. La photo passait de main en main. Après quoi, la conversation roulait sur la longueur de l'animal mis hors d'état de nuire à la gent porcine. Cette appréciation se trouvait facilitée en prenant pour unité de mesure la taille des vainqueurs qui se tenaient redressés, en cambrant quelque peu le torse, à côté du serpent au corps soigneusement étiré. Les paris étaient ouverts. Chaque invité livrait sa petite idée. Près de deux mètres séparaient les évaluations des uns et des autres. Finalement, mon père énonçait la bonne réponse : 3,85 mètres. Et d'ajouter : « Qu'en pensez-vous ? »

Pour un herpétologue, cette mensuration se situe au-dessus de la moyenne. Le python de Séba, dont l'aire de dispersion est très vaste dans l'Afrique noire, atteint quelquefois six mètres quand il répond pleinement à l'espérance de vie de son espèce. C'est dire que tous les fanfarons prétendant s'être trouvés aux prises avec des individus de huit à dix mètres de long transforment leurs yeux – ou leur mémoire – en miroirs grossissants. D'ailleurs, un *nguma* comme l'on dit en terre congolaise, dont près de quatre mètres séparent la tête de la queue, suffit à ne pas laisser indifférent celui qui le découvre.

La proportion des hâbleurs chez les Français émigrés sous les tropiques devait être plutôt supérieure à la moyenne nationale. Aussi, des commentateurs du document réalisé par mon père s'empressaient-ils aussitôt de se faire les héros d'histoires concernant le même reptile : le dernier porteur de leur colonne héroïquement sauvé alors que le *boa*, se laissant tomber d'un arbre, venait de l'enlacer de toute sa force meurtrière ; le constat, tout de suite après le drame, d'une lutte avec un fauve achevée par la mort de deux adversaires ; l'antilope absorbée dont les cornes réussirent une vengeance posthume.

Nombre des histoires débitées n'étaient pas forcément inexactes, à cette nuance près que la plupart de ceux qui les prenaient à leur compte les avaient préalablement entendues d'autres interlocuteurs.

Restait au moins, à tout coup, erronée l'appellation attribuée à la bête rampante. Les uns et les autres ne parlaient que de boa. J'ai partagé longtemps cette même confusion.

En réalité, les pythons sont, aux yeux des systématiciens, des boïdés mais pas des boïnés. Parmi les boïdés, il y a notamment les boas, surtout répandus dans l'Amérique tropicale, et les pythons qui se répartissent en différentes espèces africaines, asiatiques et malgaches. Mais les boïnés, qui ne représentent qu'une partie des boïdés, sont des boas authentiques, pas africains pour un sou.

Le pythonidé – *Python sebae* – auteur de graves infractions dans le rang des cochons chéris par mon père et ma mère, a au moins le mérite de n'être pas venimeux. Constricteur doté de moyens considérables pour étouffer sa victime après s'être brutalement enroulé autour d'elle, il s'empresse bientôt d'ouvrir et d'élargir sa gueule pour l'avaler progressivement, sans mastication. Sa mission sur terre la plus commune consiste actuellement à permettre la fabrication de sacs à main, de portefeuilles, voire de chaussures. A constater la diffusion de ces productions sur le continent natal du serpent comme dans certaines villes d'Europe par des marchands ambulants, on ne peut qu'admirer la fécondité de l'espèce en dépit de toutes les coupes sombres effectuées à ses dépens. Il est vrai que la femelle s'emploie à assurer une descendance maximale. Elle s'enroule maternellement autour de la centaine d'œufs qu'elle a pondus. Sa température s'élève au point d'atteindre près du double de la normale. En récompense naissent, dans un terrier évacué par des rongeurs (à moins qu'ils aient été ingurgités par la nouvelle occupante) ou au creux d'une termitière, des serpenteaux appelés à alimenter une maroquinerie jamais saturée. On ne s'étonnera donc pas que l'immense majorité des pythons de Séba ne vivent plus assez longtemps pour égaler les records de longueur de lointains ancêtres.

Mon père prétendait que le python pouvait être, avec notre consentement, anthropophile plutôt qu'anthropophage. Il avait entendu parler de l'emploi de sujets de la même famille pour faire la chasse aux rats dans des entrepôts ou dans des cales de navires. Mettant en doute la plupart des récits concernant des porteurs attaqués, il rendait hommage à la placidité habituelle de ce serpent. Au fond, il l'aurait engagé comme animal domestique si un individu de l'espèce ne s'était fait remarquer, plus d'une fois quand même, du côté des porcheries. Il y avait là un penchant malaisé à vaincre. Tous les boïdés passent pour peu évolués. On ne parvient, pensait mon père, qu'à leur inculquer une éducation très fruste. Ils finissent, à la rigueur, par reconnaître leur maître mais sans comprendre correctement ses recommandations. Adopter un serpenteau peu après sa naissance et savoir attendre qu'il grossît suffisamment pour lui assigner des fonctions ratières n'aurait pas déplu à Mondounga. Mais le risque de le voir finalement fuguer en direction de petits cochons lui paraissait insupportable.

Il raisonnait évidemment comme tous les éleveurs qui, ayant introduit des bêtes domestiques non loin de prédateurs, ne tardent pas à nier les droits d'antériorité de ces derniers.

Dommage! J'aurais sûrement aimé avoir un python de Séba comme interlocuteur occasionnel, rompu à respecter ma personne. Mais demeurait le soupçon certainement fondé qu'il se laisserait encore moins convaincre d'épargner le premier pourceau venu qu'un chat de renoncer à la capture de l'oiseau tout proche. Les pythons que l'on surprenait (pas tous les jours, loin, très loin de là) étaient pris en flagrant délit de crime et de vol perpétrés contre des bêtes réservées au régal du règne humain. Ou encore, l'un d'eux se montrait, en petit farceur, là où on ne l'avait pas convoqué. Sa compagnie dans une salle de douche déplaisait fatalement sans qu'on prît la peine de comprendre qu'il appréciait l'eau presque autant qu'un anaconda. De telles privautés le condamnaient à la peine de mort. Il ne restait plus, après coup, qu'à manger cette douce créature.

CHAPITRE VIII

Du matabis au béké-béké

A la table familiale, le python n'eût pas valu grand-chose sans la poudre de piment fournie par Ngomokabi. Culinairement parlant, ce serpent, tout comme les escargots, a le goût que l'on s'emploie à lui donner. Sa chair demande à être relevée. La sauce qui l'accompagne doit beaucoup au pili-pili. Mais quand on sait réussir sa cuisson et doser comme il convient les condiments qui l'accompagnent, on obtient un plat qui mérite compliment.

De nos jours, il existe d'ailleurs, dans quelques grandes villes du monde, des boutiques où le client a le loisir d'acheter de la viande de serpent parmi nombre d'autres ressources alimentaires d'un exotisme provocant. Ces conserves sont d'autant plus onéreuses qu'elles confinent, sous des cieux tempérés, à l'extravagance. L'achat de filets de cobra, qui représente la fantaisie extrême pour jouer un bon tour à ses invités, est un caprice un peu onéreux. Mais quel souvenir parmi les convives auxquels il demeure préférable de ne révéler le contenu de leur assiette qu'après le délai de digestion!

Avoir ingéré des morceaux d'un serpent aussi venimeux que le cobra procure des frissons rétrospectifs, qui vous rendent assez fier d'avoir survécu à cette épreuve. On a beau dire que l'ablation, avec les viscères du reptile, de la glande à venin, tout comme celle de la poche à fiel d'un foie de lapin, suffit à rendre comestible le reste de l'animal, on se sent quand même remué par la hardiesse alimentaire à laquelle on a été associé par surprise.

Avec le python, ophidien de bonne composition, incapable d'injecter un poison mortel sur morsure, le consommateur ne ressent pas les mêmes émotions. Généralement, l'hôte peut se permettre, sans tricher, d'annoncer le menu.

Le distingo entre cobra et python, pour la conduite à tenir face à la créature vivante, conservait à M'Pouïa force de loi. Mon père avait eu un jour la surprise de trouver, dressé sur sa véranda, un intrus proche parent de ceux que sont sensés charmer des joueurs de flûte, sur la grande place de Djemaa el Fna à Marrakech. Il n'avait pas, pour une fois, considéré un quidam du monde reptilien sans une accélération du rythme cardiaque. Celui-ci fut fusillé à prudente distance. Après quoi, personne ne se porta volontaire pour le dépecer. De la terreur emplissait encore les yeux des M'Pouïais qui l'avaient vu, en posture d'intimidation, quelques minutes plus tôt.

Au contaire, les mêmes témoins, toujours paralysés par la peur devant le corps, même inanimé d'un cobra, ne l'étaient pas quand ils avaient affaire à un python. Ils l'écorchaient sans hésitation et ne se laissaient pas envahir par des états d'âme dans la manipulation post mortem. En outre, le piégeage du boïdé classé peu dangereux et apprécié pour sa chair dans la plupart des ethnies congolaises révélait à d'ex-braconniers de France l'existence de collets africains posés au terme de repères astucieux.

La science du nœud coulant pratiquée autour de M'Pouïa au dam de cette brave espèce dite *Python sebae* s'exerçait surtout après d'abondantes pluies. Sur des sols tout amollis, la reptation du serpent convoité laissait des traces qui le trahissaient. Dans les meilleures occasions, leur continuité permettait de localiser le refuge du serpent. Restait alors à disposer à l'orifice de quoi étrangler l'occupant quand il faisait mouvement.

***

En périodes favorables, ce genre de prise pouvait donner prétexte à cadeau. Le don, apparemment sans arrière-pensée, d'un bon morceau de python, en témoignage de sympathique voisinage, entraînait obligatoirement une offrande en remerciement. Le *matabis* ne devait pas être unilatéral, dans l'esprit des uns comme dans celui des autres. La réciprocité se traduisait par l'octroi d'un bout d'étoffe plus ou moins bariolée destiné à la confection d'un joli pagne. D'un côté le cadeau, le *matabis*, concernait le *béké-béké*, le manger. De l'autre, la marque de reconnaissance flattait une certaine propension à l'élégance, c'est-à-dire au *kitoko*. Ainsi, à travers ces convenances, ces usages renouvelés, se perpétuait une plaisante pratique du troc.

Ma mère, à force de dialoguer avec un cuisinier kikongo souvent bien inspiré, obtenait d'assez satisfaisantes synthèses de l'accommodement congolais et de la donne européenne. Le court-bouillon pour faire du python un régal s'inscrivait comme un préliminaire réclamant que l'on prît son temps. On ne lésinait pas avec la durée nécessaire pour qu'une chair ferme devînt tendre. Ensuite, toutes sortes de variantes étaient à tenter dans la confection de la sauce. Ainsi se révélèrent plusieurs façons d'accompagner et de présenter du python comme il en existe pour cuisiner du poulet. Aucune, il va sans dire, ne devait quoi que ce fût à la gastronomie normande.

Ces différentes recettes, plus empiriques les unes que les autres mais toutes redevables au pili-pili, avaient-elles été dénommées ? Je ne crois pas. Mais on appréciait les variantes. Elles donnaient lieu à des préférences. Chacun avait la sienne.

***

De nouvelles histoires de pythons mangeurs ou de pythons mangés excitaient l'appétit des convives. Quelques-unes auraient mérité vérification mais n'étaient pas ouvertement contredites.

Quand les visiteurs avaient rembarqué, mon père essayait de dissocier le vrai du faux. Il cataloguait fréquemment d'épisodiques compagnons de table d'après la vraisemblance de leur propos. A certains, il accordait le plus confiant crédit. Pour d'autres, il n'ajoutait que peu foi à leurs dires.

Ce n'étaient pas forcément ceux qui avaient raconté les histoires les plus surprenantes qui se heurtaient à son incrédulité. Peut-être s'en remettait-il plus volontiers au jamais entendu qu'au déjà dit. Tout dépendait aussi de la qualité du conteur pour autant qu'il pouvait en juger.

Un certain jour, faisant semblant de jouer dans l'indifférence des choses propres aux adultes, j'avais assez tendu l'oreille pour ne rien perdre d'un récit clôturant bonne chère valablement arrosée. D'enchaînements en digressions, il n'était plus question de python. Un convive en verve égrenait ses souvenirs d'une prospection au pays des Bakota. Des villages de cette ethnie se situent notamment non loin des sources de l'Ogoué et de celles de l'Alima, là même où Brazza avait trouvé celle de ces deux rivières qui rejoint le Congo. Au point où en était l'équipe en laborieux déplacement, le portage devait succéder à la pirogue. La soif assiégeait cet homme et son escorte aux prises avec une nature sans repères très sûrs. Le chemin frayé à terre sans s'éloigner d'un cours d'eau parfois rétréci paraissait de plus en plus pénible. Il fallait au moins humecter de plus en plus souvent les lèvres en usant du seul liquide proche. Dans cette situation, l'homme en vient à se dire : « Tant pis, je fais fi des amibes. » Il n'a pas le choix. Tout à coup, ne s'est-il pas permis une gorgée ? Soit, puisqu'il le faut. Des machettes ménagent le passage. L'envie de boire se fait obsédante. Il semble que les lèvres gonflent, que les langues se durcissent. On succombe encore. Mais des indices donnent à penser qu'un village est proche. Il y aura peut-être offre de vin de palme ; en tout cas, d'une eau plus agréable. Vivement cet instant. Les derniers efforts consentis paraissent les plus éprouvants. Ils débouchent d'abord sur un évasement, un trou d'eau autour duquel règne une odeur des moins avenantes. Comment oser croire à une vérité aussi accablante ? Trempent là des nasses dans lesquelles sont enfermés des morts de la tribu. Les corps sont donnés en pâture aux crustacés... une coutume immémoriale au pays des Bakota. Le prolongement du rite funéraire s'accomplit. Les ossements ? Une hutte sacrée devant laquelle se trouve placée une sculpture aux fonctions cultuelles évidentes en sera dépositaire.

Elle se compose d'un fronton semi circulaire et d'une représentation faciale ovale, sur un fond de bois aux côtés arrondis. Cette tête sans corps tient sur un cou directement relié à des jambes arquées en forme de losange.

Où donc est l'évasement du cours d'eau remonté dans l'Alima des sources ? En amont des endroits où un élément impur avait été prélevé contre la soif à diverses reprises.

« Non, non, disait mon père, cette histoire n'est pas celle d'un menteur. »

La sculpture familière des Bakota signalée est bien connue des ethnologues. On la voit exposée au musée de l'Homme comme à celui des Arts africains et océaniens. Quand je la regarde, elle me parle tout particulièrement. Je revois alors – conjointement – la tête d'un homme qui, encore attablé devant une compote de mangues, développait, en contraste, l'histoire du moins rassurant breuvage de son existence.

***

A tous les niveaux, les convivialités m'pouïaises m'apprenaient peu ou prou des temps forts africains en régime équatorial. La table de mes parents pouvait être appréciée. Elle était alimentée à la fois par les légumes du jardin, par l'élevage de cochons, par les ressources typiquement locales et, accessoirement, par des produits provenant de France.

Le potager principal profitait d'une terre limoneuse pour la bonne raison qu'il était inondé à chaque débordement du Congo. Seul alors émergeait le haut de sa clôture de bambous. Quand le fleuve retrouvait son lit normal, après les hautes eaux, mes parents se lançaient dans toutes sortes d'expériences jardinières. Ma mère adorait cette occupation maraîchère. Elle était très fière des tomates, des haricots, des patates douces, des épinards, tirés d'un sol qu'elle estimait sans pareil. Rien ne pouvait lui faire davantage plaisir que d'entendre vanter la qualité exceptionnelle de sa production légumière. Comme sa sollicitude fruitière apparaissait de la même veine, elle restait persuadée de la supériorité des goyaves, des barbadines, des avocats, des oranges de M'Pouïa, en comparaison des fruits déposés sur les tables de Brazzaville ou de Pointe-Noire. Et je crois bien qu'elle disait vrai.

***

Pour un peu, elle serait entrée dans les concurrences du marché de M'Pouïa si mon père ne l'en avait dissuadée. Il semblait à celui-ci plus décent de ne pas participer à ce genre de compétition en qualité de marchand. Nous venions seulement en clients sur ce terrain de rencontres animées où des milans parasites aussi audacieux que fantasques dans leurs rapts tentaient d'arracher leur part. De petits vautours percnoptères au plumage brun foncé stationnaient non loin de là en attendant l'heure du nettoyage qui leur serait dévolu.

Se présentaient à ce marché, en vendeurs mais aussi en acheteurs quand ils ne concluaient pas des échanges purs et simples, des hommes et des femmes de toutes les ethnies présentes à M'Pouïa, vivant face au fleuve, en lisière de forêt ou en marge de la pleine brousse. Ainsi se trouvaient assemblés des marchands et des clients d'un jour portant, tatoués sur leur peau, chez certains en relief, les signes indélébiles de leur appartenance tribale, les uns presque habillés, d'autres presque nus. Gens de pêche, de chasse ou de cueillette, ils confrontaient leurs façons de vivre et de subsister, échangeant parfois des lazzis, se moquant d'eux-mêmes comme du voisinage. Femmes porteuses de nourrissons, beaux parleurs coutumiers de grands gestes, marchandeurs aux mimiques suggestives se côtoyaient et s'interpellaient.

Certains avaient assez longtemps marché à travers les *matiti* pour être, à leur place, acteurs et spectateurs comme ces représentants du plateau achikouya qui exhibaient des travaux de vannerie emplis de produits de leur terroir : arachides dans des paniers solidement tressés ou petites bananes dans des corbeilles de leur confection.

Plus frustes et de formes différentes étaient les contenants utilisés par les pêcheurs boubangui qui exposaient des poissons fumés par leurs soins.

Quant aux gens de chasse, ils ne s'embarrassaient pas en recherches d'étalage. Certaines de leurs marchandises se trouvaient à même le sol. Ils proposaient des viandes fumées : buffle, potamochère, antilope, singe aussi. Contents d'eux-mêmes, ils souriaient sur la chair de leurs victimes.

Des femmes jacasseuses débitaient une pâte d'arachide appelée *mbouto*. Mes parents aimaient bien cette préparation faite de cacahuètes grillées, écrasées, puis amalgamées à du piment rouge. Mais ils ne faisaient pas non plus la fine bouche devant les *chama*, ces termites apportés par des coureurs de brousse. Ils les avaient piégés avec un art consommé après sélection, à la période opportune, des termitières à exploiter. Comme les *chama* quittent leur tumulus généralement au petit jour, leur capture massive s'effectue de bonne heure. Elle réclame d'abord l'installation d'un entourage de branches pour cerner l'habitat des insectes sociaux aux apparences plus ou moins prononcées de monument mégalithique. Puis on agit de telle sorte que cet espace se trouve enfumé pour la sortie collective d'hyménoptères dont les ailes tombent en se heurtant au double obstacle préparé à leur intention. Le ramassage peut alors intervenir sans problème. La récolte se fait par brassées. En fumant ensuite ces termites, l'on obtient le fin du fin.

***

Tout ce qui se mangeait dans des tribus de la région n'était pas obligatoirement représenté à ce marché. Certaines ethnies témoignaient de goûts peu partagés. Dans l'N'Kéni et dans l'Alima, Bangangoulou et Bamboschi ne faisaient pas mystère du bonheur qu'ils prenaient à dévorer de la panthère comme du chien. A M'Pouïa, entre eux, ils se montraient tout à fait capables de telles dégustations, réprouvées par d'autres. Ces détracteurs ne se faisaient alors pas faute d'insinuer que les mêmes dévoreurs de léopards étaient susceptibles de consommer... Eh ! oui, des Batéké ne se gênaient guère pour répandre pareille accusation. Ayant fini par comprendre ce que voulaient dire ces médisants, j'ai eu souvent envie de demander à Gampo si ses grands-parents, ses parents peut-être, avaient pu verser dans une pratique alimentaire aussi décriée. Mais comment oser formuler cette question ? Je ne m'y suis jamais résolu.

Toutes les ethnies représentées à M'Pouïa avaient quand même en commun d'aimer les tripes à la folie. Leurs membres ne dédaignaient pas cette ressource, qu'elle provînt d'un poulet étique ou d'un ventre d'éléphant. On assistait, dans la seconde opportunité, à d'émouvants regains d'appétit qui n'allaient pas sans des lendemains douloureux. Tel festoyeur dont les intestins réagissaient méchamment contre le régime qu'il leur avait infligé venait avouer son mal et réclamer le *mongenga* capable de le soulager. Tout en méritant l'apitoiement, la supplique allait de pair avec des contorsions désopilantes. Le goinfre de la veille répétait : « *Ngay a zali libomu makasi.* » Oui, oui, il avait le ventre dur et très douloureux. Mais il ne savait pas que n'importe quel *Mondélé* aurait été déjà mort des ripailles dont il subissait le choc en retour.

***

Le dépeçage d'un *nzoku* dans un voisinage plus ou moins proche se traduisait accessoirement par un apport de *matabis.* Voilà pourquoi, à l'entrée d'intérieurs métropolitains, des pattes d'éléphant servent de réceptacles à parapluies.

Le don d'une trompe fraîche réclamait un traitement d'urgence. Mon père ne refusait pas l'offre – c'eût été insultant – bien qu'il eût personnellement conclu la paix avec tous les *nzoku* de rencontre.

On mangeait donc, de loin en loin dans le temps, de la trompe d'éléphant tout comme l'on se régalait de capitaine, ce poisson roi des pêcheurs du fleuve qui nous recommandaient aussi vivement la queue de crocodile. La famille, à ce régime, conservait peu de préjugés alimentaires. On goûtait et l'on jugeait sur pièces.

Il m'avait pourtant semblé que mon père faisait grise mine quand une part de trompe d'éléphant échouait dans son assiette. Il ne chipotait pas, certes, mais ne paraissait guère à son aise.

Que d'efforts, pourtant, et que de soins, pour obtenir ce plat!

D'abord, le creusage d'un trou profond d'un mètre environ au fond duquel est disposée une couche de pierres serrées les unes contre les autres. Au-dessus, l'allumage d'un feu de bois, attisé le plus possible. Ensuite, la trompe de *nzoku*, enveloppée dans des feuilles de bananier, est placée au fond du trou après qu'a été retiré le foyer. Étape suivante du processus : le recouvrage de l'excavation par une mince couche de terre sur laquelle, durant vingt-quatre heures, demeure avivé un feu puissant.

A l'achèvement de la cuisson, la première épaisseur de la peau était enlevée. L'assaisonnement de la trompe pouvait alors intervenir.

« Mille fois meilleur que de la langue de bœuf », prétendait-on. Assurément, à condition de ne pas avoir en tête un souvenir en forme de remords. L'éléphant donnait à Mondounga des complexes. Il ne parvenait pas à s'en délivrer. La trompe, il l'appréciait, mais sa conscience ne suivait pas. Elle le ramenait à Gankolo, à la mère de Gankolo, au site de Gankolo, au drame de Gankolo. Car ce nom l'avait changé comme le cerf à la croix flamboyante métamorphosant soudainement saint Hubert.

CHAPITRE IX

Gankolo l'éléphant

Je sais où il a été enterré, huit années avant ma naissance. Les endroits qu'il choisissait pour y faire ses farces m'ont tous été montrés. J'ai entendu parler de lui tant de fois que sa présence dans l'absence me hante à l'infini. Je le reconnais comme mien sans avoir été son contemporain. Tout ce qu'il a fait dans sa courte vie, tout ce qu'il a représenté, tout ce qu'il a suscité dans le fonds m'pouaïs s'offre à ma méditation. Vénérant les photos prises durant ce temps, je me prends à l'aimer comme on s'accroche à une chimère, encore plus que dans les jours où me fut contée son édifiante aventure.

Son destin a pris les dimensions d'une leçon éternelle. Tout ce qui m'est confirmé sur le caractère et la conduite de ses pareils rejoint de vieux sentiments dont je ne veux ni ne peux me débarrasser. L'emprise de Gankolo ne me lâchera jamais. A travers lui, se perpétue une estime pour les éléphants qui prend valeur d'une dette héritée. Quand on me dit qu'ils posent des problèmes, cela ne me gêne pas. Je les défends envers et contre tout. Mais je ne peux nier qu'ils se montrent parfois insupportables. Les dégâts qu'on leur impute s'inscrivent dans la plus pure tradition de Gankolo.

***

Ce nom de lieu devint un nom de bête parce que Mondounga, à la suite d'une méprise, comprit qu'il n'oserait plus jamais tuer un éléphant.

Frayant une piste, son escorte, faufilée dans les hautes herbes, se trouvait à portée d'une bambuseraie. Camouflés par les *matiti*, ils abordaient une zone où se rencontraient la forêt et la brousse. Toute forme, à demi occultée, prenait des contours imprécis. Une marche hésitante se poursuivait sur un sol spongieux, mal assuré. De multiples flaques se dessinaient. De cet étrange marécage, le dessin se discernait mal. Prudent, comme superstitieux, l'œil s'attardait sur des traces éloquentes appelées *may na nzoku*, flaques d'éléphants. C'étaient de très récents impacts. On entendait de soudains déchaînements ou des appels furtifs. Puis l'on interrogeait des silences moites. Alors, le décor creva tout près et la monumentale victime s'affaissa au premier coup de feu dans un craquement de bambous. La stupeur succéda à la bouleversante irruption. La bête foudroyée était une femelle qui laissait un petit orphelin. Celui-ci fut rattrapé, capturé, adopté par le meurtrier peu fier de son exploit.

L'éléphanteau grandit dans le poste de M'Pouïa, entouré de prévenances. Ce fut un enfant gâté. Peu de gens surent que son nom était celui de l'endroit où sa mère avait été stupidement exécutée. Aurait-il survécu s'il n'avait été recueilli ? Peut-être pas, bien qu'il fût parvenu à l'échéance du sevrage. Il avait près de deux ans de vie sauvage derrière lui ; autant de temps que celui passé dans le ventre de sa mère.

***

Aurait-il regagné un troupeau proche et trouvé, auprès de parents adoptifs, assez de protection pour être rassuré ? Impossible à dire. Mais on sait qu'un éléphanteau ne fait pas peur à un lion. Et les fauves repèrent vite l'animal désemparé qui peut être attaqué.

Mondounga se comporta en parent éléphant puisque l'enfant de sa victime réclamait ce secours au-delà du sevrage. Ce rôle l'enchantait. Les deux compères sillonnaient côte à côte l'espace m'pouïais. Pendant longtemps, l'on vit rarement l'un sans l'autre. Ce compagnonnage se rôda à travers des mois et des années. Des cérémonials éléphantins prirent corps curieusement. Des jeux, des entraînements physiques en commun illuminèrent cette association. Quand il eut pris de l'étoffe, du poids et de l'assurance, Gankolo devint une talentueuse attraction. Lorsque son humeur s'y prêtait, il acceptait la blague et la taquinerie. Alors, il se mesurait avec son maître, le chasseur converti, jamais avec violence, toujours en finesse. L'homme se plaquait au sol en s'efforçant de coller au terrain en dépit de toutes les agaceries de son espiègle adversaire. Le jeune éléphant devait absolument, du bout de sa trompe, lui chatouiller le torse pour le contraindre à bouger. Il s'y employait avec une impayable malice. Son petit œil en était tout empli. On aurait pu ouvrir des paris sur le temps que mettrait l'animal pour s'emparer de Mondounga. Car l'issue elle-même ne faisait pas de doute. Plus ou moins rapidement, Gankolo réussissait, à force de chatouilles, à prendre mon père en défaut. Enfin, il parvenait à glisser sa trompe contre le sol, enlaçait un thorax qui ne résistait plus, soulevait sans effort un corps dans son entier et, par un balancement fait à la fois de vigueur et d'harmonie, déposait sur son dos le cornac de ses rêves. La balade pouvait commencer. Souple mais précautionneux, tout en douceur et tout en puissance, Gankolo emportait Mondounga dans un monde de mythes.

Quand un bateau faisait escale, l'enfant chéri allait, de lui-même, au-devant des passagers et, la trompe haute, au bord du Congo, il saluait les arrivants. Il y avait des gens qu'il reconnaissait, Gazengel entre autres. Il le leur faisait comprendre. Et l'on se demandait toujours s'il ne lui prendrait pas la fantaisie d'asperger quelque quidam dont la tête ne lui revenait pas.

Devenu assez corpulent pour en imposer même à un lion de rencontre, Gankolo profita peu à peu d'une totale liberté de mouvement. Il déambulait à sa guise. Licence lui était laissée de repartir vers le séjour dont il portait le nom. Cela ne tenait qu'à lui. Mais quelle troupe d'éléphants aurait admis en son sein ce *nzoku* humanisé, à supposer qu'il eût tenté de la rejoindre ? Non, Gankolo était perdu pour ses pareils. Et il avait pourtant besoin de compagnie. Alors, il revenait vers le troupeau des hommes.

Au cours de ces retrouvailles, il y avait, dans son comportement, un mélange d'ironie et d'affection. Parfois, il se faisait un réel plaisir de dispenser ses services. Mais il n'était pas docile à proprement parler. Il avait ses caprices et agissait davantage en plaisant joueur qu'en exécutant. Et de soulever des caisses et de déplacer des planches pour son aimable divertissement avec, de temps à autre, comme un soupçon de cabotinage.

Le lendemain, il prenait du champ, à la recherche de son identité, pataugeant dans les marigots ou entrant dans les eaux en baigneur autonome et solitaire.

***

Par malheur, pendant ses balades, Gankolo ne se bornait pas à des activités innocentes. Il laissait passer peu d'occasions de satisfaire son joyeux appétit. Parvenu à l'âge de cinq ans, il mangeait déjà quelque cinquante kilos de végétaux par jour, s'attaquant aux écorces et aux branchettes, aux herbes et aux racines, aux fruits et aux feuilles. Circonstance aggravante, il piétinait, déracinait, saccageait plus qu'il ne consommait. Ce faisant, il ne tenait guère compte des frontières entre les espaces sauvages et les aires cultivées. Habitant et maraudant au voisinage de deux villages de brousse, il voyait quelquefois, dans les plus accessibles occasions, des terrains dignes d'intérêt. Aussi commençait-on à le trouver encombrant.

Il avait pris des habitudes que même l'homme conservant le plus d'ascendant sur lui n'était pas en mesure de lui faire abandonner. Gankolo abusait de son libre arbitre. Encore courtes, ses défenses inspiraient néanmoins le respect. Aucun paysan noir ne se serait risqué à le repousser en usant des procédés expéditifs qui réussissaient si bien avec les cochons. Le susceptible éléphant n'aurait pas supporté ce traitement sans réagir.

Enregistrant des plaintes assorties de demandes de réparations, mon père, de son mieux, trouvait ponctuellement des solutions compensatoires. Mais le *nzoku* récidivait. Que faire dès lors ? Le transformer sur place en prisonnier ? L'expédier en direction d'un zoo d'Europe ? Aucune de ces deux éventualités ne tenait à l'examen. Livré à lui-même, travaillé par un atavisme sauvage mais incapable de rompre ses liens avec les hommes, ce sujet d'une espèce grégaire posait un problème insoluble qu'un quotient affectif compliquait encore plus.

Mon père ajournait une décision que son cœur refusait. Il éludait les difficultés à venir, faussement persuadé qu'en faisant un peu plus attention à son protégé, il l'empêcherait de commettre de trop grosses bêtises. Mais ses obligations ne lui permettaient pas de contenir en permanence un éléphant que sa prévisible puberté rendrait finalement de moins en moins disciplinable.

Or, un certain matin, Gankolo parut moins en forme qu'à l'accoutumée. Il accepta une promenade qu'il accomplit avec lassitude. Son regard était terne et triste. Mondounga crut à un encombrement intestinal. Il lui administra une purge. Rien n'y fit. Le *ndoki* avait été lancé contre Gankolo. Son sort était inéluctable. Le poison ingéré avec le fruit du dernier larcin faisait son œuvre. L'éléphant expira en moins de deux jours. Son père adoptif en fut désespéré.

***

C'est le destin déchirant de Gankolo qui m'a conduit, dans les premières années d'après-guerre, à Gangala na Bodio, au nord-est de ce que l'on appelait alors le Congo belge. Dans cette station installée en un repli éloigné de l'Afrique profonde, où coulent des eaux destinées à rejoindre, assez loin de là, cet Oubangui où Gazengel venait d'achever son ultime saison de balisage, il y avait des éléphanteaux conviés à l'apprentissage du travail dirigé.

Ceux-là vivaient dans la société de leurs semblables. Ils avaient été capturés séparément et conduits à ce camp pour y être civilisés en commun. Il convenait d'en faire des manœuvres obéissants et appliqués. Tel n'était pas leur idéal mais ils finissaient par se plier aux contraintes imposées.

Les débuts de cette expérience remontaient aux dernières décennies du siècle précédent. Au départ, on avait fait appel à des éléphants d'Asie, plus maniables que ceux d'Afrique. Ces déportés, parfaitement éduqués dans leur pays d'origine, devaient devenir des moniteurs, des démonstrateurs, des serre-files. A eux, la mission de payer d'exemple, la tâche de transformer des éléphanteaux africains embrigadés en travailleurs de force.

Cette introduction s'était soldée par un fiasco, car l'éléphant d'Asie, contrairement à son parent africain doté de grandes oreilles en éventail et plus coriace de peau, ne résiste pas aux effets du trypanozome dont la mouche tsé-tsé se fait la vectrice. Tous les proboscidiens envoyés par les Indes succombèrent en moins d'un an.

***

Au tout début du XXe siècle, un plan de formation d'éléphanteaux africains capturés fut mis en œuvre en excluant le monitoriat de l'espèce asiatique. Les premières prises pratiquées traumatisèrent épouvantablement les sujets enlevés dont l'équilibre laissait trop à désirer pour qu'un dressage se soldât par des résultats encourageants. Il fallut attendre une dizaine d'années avant de mettre au point et d'expérimenter des méthodes plus douces.

En 1910, alors que Gankolo affirmait à M'Pouïa les talents de sa race, quelques-uns de ses cadets de deux ou trois ans se faisaient prendre par surprise à un autre bout du bassin congolais. Pas de battue intraitable pour y parvenir mais des repères soigneusement effectués sur le terrain. Chaque petit éléphant localisé et convoité devait être sevré depuis peu. On le voulait d'une taille supérieure à 1,50 m et inférieure à 1,80 m. L'approche du futur captif se faisait contre le vent alors que sa position dans le troupeau autorisait sa dissociation. A peine séparé des siens, il tombait dans le traquenard qu'on lui réservait. En bout de poursuite, il se trouvait pris dans des cordages et attaché à un arbre tandis que sa mère et les adultes du troupeau abandonnaient la partie, comme emportés au loin par les salves des fusils.

Ainsi, les maîtres à agir de Gangala na Bodio, non sans mal et non sans pertes, réussirent-ils à apprivoiser des pensionnaires arrachés aux libertés des clans éléphantins. Sans disposer, au départ, de moniteurs de l'espèce, ils parvinrent à sélectionner des individus aptes à tenir ce rôle. Quand les bêtes choisies pour apprendre à plus jeunes qu'elles à servir les hommes furent en âge de le faire, l'entraînement des petits nouveaux posa moins de problèmes. Le monitorat des anciens entrait en pratique. Le rassurant protecteur venait prendre livraison de son élève sur le lieu même de la capture. On attachait l'un à l'autre. Et en route!

Dans un premier temps, il n'était question que d'apprivoisement. L'adaptation se faisait progressivement. Peu à peu, l'éléphant kidnappé s'accoutumait à l'approche de l'homme. A la crainte, succédait l'indifférence, puis le réveil d'une certaine gourmandise. Car celui qui devait devenir le cornac ne faisait pas que les yeux doux. Afin de passer pour indispensable, il avait en main des friandises. Artificieusement conditionné, le sosie de Gankolo se régalait d'ananas, de patates douces, de bananes. Il était l'objet d'enjôleuses flatteries pendant qu'on le bouchonnait. Autour de lui, un chœur s'élevait, véritable berceuse de charme interprétée journellement pour rendre plus suave la mise au diapason de l'animal.

Adaptée à la musique européenne, pour la célébration de « *La Croisière noire* » à l'Opéra de Paris, cette « Berceuse du petit éléphant » alternant avec le « Chœur des pagayeurs de l'Ouellé », le tambué, danse du sorcier, et la ga'nza, fête rituelle de la circoncision, me parle aussi de Gankolo.

Les paroles sont de celles qui entraînent à la fois au sourire et à la nostalgie. Elles extériorisent cette grâce endormeuse des volontés ataviques qui, d'un prestigieux animal, fait insensiblement un serf en son royaume...

> *Calme-toi, petit frère, le temps arrange tout*
> *On a beau crier, la lune suit toujours le soleil*
> *Mange des bananes et des feuilles fraîches*
> *Pendant ce temps-là,*
> *La lune suit toujours le soleil.*

La deuxième étape de la formation des petits éléphants de Gangala na Bodio pouvait commencer. Chaque sujet devait séparément se soumettre désormais à des commandements impliquant l'exécution de mouvements précis. On lui intimait de se lever ou de se coucher. A lui d'obtempérer dix fois, cent fois, au fil des jours, tout en acquérant de bons réflexes conditionnés.

Ensuite, intervenait une grande première. Le cornac montait sur son dos. Rien qu'un peu. Mais le lendemain, il recommençait et restait plus longtemps dans cette position. Et chaque jour qui suivait voyait le cornac s'attarder davantage sur la bête.

Ayant d'abord appris à faire ses promenades attaché à un moniteur, le sosie de Gankolo, dans la foulée, se trouvait à même de jouer aussi le rôle de monture.

On abordait la phase de l'apprentissage concret, pour que l'éléphant devînt opérationnel, en passant aux exercices progressifs de traction. L'entraînement quotidien comportait évidemment des pauses assorties de récompenses alimentaires suffisamment dosées pour le laisser quand même sur sa faim.

A Gangala na Bodio, l'ambition avancée portait sur la promotion d'éléphants capables, pendant cinq à six heures chaque matin, de traîner des troncs, de transporter des souches déracinées ou de tirer des charrues à plusieurs socs. Avec ces bêtes impressionnables, aux nerfs assez fragiles, il ne fallait jamais s'énerver. Peu de chose pouvait les dérégler. On les disait d'ailleurs inaptes à se reproduire en captivité. Or, quelques naissances furent enregistrées. A l'époque où j'y passai, des promotions de plusieurs dizaines d'individus bons pour le service sanctionnaient des dressages étalés sur un an. Mais cela signifia d'abord la capture de 25 éléphanteaux en 1944 et de 40 en 1945.

***

Je songeais que Gankolo n'avait pas eu besoin d'un éducateur prenant possession de son dos pour jouer spontanément de la trompe avec Mondounga afin de lui assigner cette position avant départ en promenade. Mais trop libre, l'éléphant de M'Pouïa n'a pas vécu très longtemps, alors que les autres ont eu certainement une longue carrière toute tracée sans jamais connaître les joies téméraires de déplacements à leur guise autour d'un village de brousse.

***

Existe-t-elle, quelque part en Afrique, l'autonomie dans la sécurité ? Qu'est-ce donc qu'une grande réserve, sinon un territoire de concentration animale où toute forte densité d'éléphants préoccupe les gestionnaires ? Au-delà, pour sûr, ils ne sont plus chez eux. Et sur des espaces interdits à la chasse qu'ils exploitent à l'excès, on déplore leur surnombre tout en constatant avec effroi le recul global de l'espèce.

Une partie notable du parc de Tsavo a été ravagée par des proboscidiens en surnombre sur leur territoire agréé. Cela aussi, je l'ai vu en repensant toujours à l'ami Gankolo, à cet ectoplasme qui, ici ou là, m'a accompagné, à tous coups, en Afrique.

Que tolère-t-on de ces monuments en mouvement ? S'ils restent en surnombre dans des zones de sauvegarde, on craint pour les baobabs et pour le reste de la végétation. S'ils sortent d'espaces à eux réservés, on redoute les pires dégâts, étant entendu qu'ils sont devenus indésirables presque partout en Afrique. Une migration d'envergure de leur part est aussitôt considérée comme un acte d'hostilité à l'encontre des hommes. On veut manifestement qu'ils perdent toute tendance aux trop grands déplacements collectifs. Pourtant, celle-ci leur est naturelle en fonction d'occasions ponctuelles ou saisonnières. Ils fuient des espaces aux ressources provisoirement précaires pour s'ébranler vers des terres alors plus fécondes. Des points d'eau d'une générosité non tarie les attendent. Ils s'évadent et, justement, cela leur est rigoureusement interdit alors même que leur impact risquerait d'être grave sur les superficies où ils sont priés de demeurer en se tenant cois. Dans leur exode, hors de leur espace de tolérance, ils se comportent comme autant de Gankolo. C'est jugé inadmissible. Il y a alerte. Tous ces poids super lourds n'ont pas le droit d'aller où bon leur semble. Les congrès spectaculaires leur sont interdits. Ils impressionnent trop fâcheusement les populations.

On demande aux éléphants de n'être plus tout à fait eux-mêmes. Qu'ils ne sortent des réserves que par petits paquets, modérément, pour permettre aux safaristes tireurs de trouver leur compte : parfait ! Mais qu'ils ne se croient pas tout permis. Depuis le temps de Gankolo, leurs incorrections se paient très cher. Aujourd'hui, pour eux du moins, fonctionne un plan d'occupation des sols. Là où ils jouissent d'un permis de séjour, des équipes de surveillance s'efforcent d'empêcher les braconniers de les décimer pour emporter leurs pointes. Ailleurs, on les attend de pied ferme en Afrique. Prime une expansion démographique qui ne peut être celle de leur espèce.

***

L'espace vital s'est rétréci depuis le temps d'Hannibal où des éléphants se faisaient capturer au nord de l'Afrique. Les rescapés n'ont qu'à bien se tenir. Seuls peut-être les proboscidiens de la forêt qui n'en sortent guère gardent, jusqu'à nouvel ordre, de solides commodités. Mais si leur sylve disparaît, il ne peut y avoir, pour eux, une compensation territoriale. En attendant, ils savent parfaitement bien l'entretenir et lui permettre de se régénérer sans cesse. Ils y coulent des jours magnifiques, seulement troublés, là où il y a cohabitation forestière, par quelques deuils subits provoqués par ces diables de petits hommes aux moyens balistiques des plus sommaires, Pygmées babinga ou Pygmées bambuti. Et ils sèment à tout va en libérant leur crottin recéleur de graines de fruits absorbés. Ces laissées d'éléphants portent en elles des promesses de germinations. En milieu sylvestre, le *nzoku* a quelques spécialités alimentaires quasiment exclusives pour le renouvellement d'espèces végétales définies tandis que d'autres animaux assurent un office comparable en faveur de regains botaniques différents. En se soulageant le plus naturellement du monde, il conforte la multiplicité forestière dont il tire sa subsistance, favorisant la renaissance de rosacées, de mimosées, d'euphorbes. Disséminateur de premier ordre, agent remarquable de dispersion de diaspores, il assure la permanence et la pérennité des éléments constitutifs du milieu nourricier.

***

Au temps de Gankolo, ces éléments d'appréciation ne se trouvaient vraisemblablement pas mis, comme aujourd'hui, en évidence par des chercheurs. Pourtant, Mondounga savait que son tir avait été un attentat. De ce jour-là, c'en fut vraiment fini du *mondoki*. Raccroché, le fusil. Cela suffisait. Des images de victimes de son fait qui ne méritaient pas d'être tuées lui passaient par la tête : ce gorille (le plus doux des singes quand on ne l'agresse pas) fusillé dans la Sangha, ces marabouts tirés sous prétexte que leurs plumes sous-alaires étaient très demandées en Europe, ces coups de feu répétés pour la vanité du trophée et, venant couronner le tout, ce meurtre non prémédité d'une mère éléphant laissant orphelin son Gankolo.

Sans lui, le culte du *mondoki*, la vantardise du *mondoki* se poursuivaient allègrement. Il en était trop fréquemment le témoin. On tuait plus vite et davantage. Bientôt, des chasseurs noirs abandonneraient les fusils à pierre. Eux aussi se serviraient un jour de carabines Winchester avec des balles blindées. Le pli était pris et Mondounga comptait parmi les responsables de cette évolution.

D'ailleurs, s'il ne tirait plus un seul coup de fusil, il achetait à d'autres le produit de leurs chasses. Il se contentait seulement d'imposer, dans son entourage immédiat, une rigoureuse circonspection vis-à-vis des armes. A tous ceux qui faisaient semblant de viser quelque être, par jeu ou par bravade, prétendant en toute bonne foi que leur *mondoki* n'était pas chargé, il opposait son refus de ce geste, fût-il gratuit. Mais il ne pouvait pas davantage. Nombre d'autres, malgré lui, faisaient plus que jamais parler la poudre.

CHAPITRE X

Et la panthère récidiva

Je m'endormais chaque soir dans l'écoute amortie d'un concert d'insectes effervescents, de batraciens obsédés et de cheiroptères répétitifs. Cet ordre nocturne des choses faisait bel et bien partie de mes rythmes biologiques. Je m'y confiais et me laissais aller. Le fleuve lui-même comptait dans ce bruitage. Il contribuait, de loin, à m'emporter dans le sommeil.

L'instant où se déchaîna le charivari qui domina puissamment le fond sonore habituel me colle encore à la peau. D'une seule voix, tous les cochons se mirent à crier sans pouvoir s'arrêter comme ces alarmes automatiques contre le vol dont la forte tonalité se prolonge en s'intensifiant après leur déclenchement. D'un bond, je fus debout comme, certainement, tous les vivants de M'Pouïa. Très vite, je perçus des appels d'hommes en alerte qui échangeaient, à l'extérieur, des indices en se cherchant de la voix. L'ombre se peuplait d'errants excités. Des veilleurs confiaient, au passage, qu'ils n'avaient rien vu. A l'aveuglette, ils quêtaient des repères.

J'entendis ma mère m'interdire de mettre un pied dehors. Puis me parvint la voix de Mondounga qui, avec un calme olympien, annonça sans hésiter : « C'est une panthère. » Et d'ajouter : « Pas de doute à avoir. »

Le fauve avait dû entendre la mobilisation qui s'improvisait et se retirer des porcheries. Les cochons braillaient toujours mais, semblait-il, pas tout à fait de la même façon. C'était le fond de leur frayeur qu'ils laissaient échapper. Dans la nuit, rebondissait un mot, comme un feu follet, repris de bouche en bouche. *Ngoy* par-ci, *ngoy* par-là. Ainsi, la panthère, le *ngoy*, se trouvait soupçonné d'être un peu partout, grimpé dans ce manguier, tapi sous ce hangar, aux aguets quelque part sous un ciel sans étoiles. Et de nouveau, la voix de mon père s'élevait, un peu comme un oracle : « Pas la peine d'insister. » Demain, n'est-ce pas, l'on verrait clair et l'on aviserait.

Peu à peu, la nuit équatoriale était rentrée dans ses normes. A la dispersion des hommes, avaient répondu des grognements de porcs qui allaient en s'espaçant et en s'atténuant. Enfui, sans doute, le *ngoy* avec son butin ; rentré chez lui, dans une brousse certainement peu éloignée, pour assouvir une faim qui le tenaillait une heure plus tôt ; résolu à rester, dans le jour qui suivrait, plus invisible que jamais. Mais il y avait, comme omniprésente, de la panthère dans l'air et dans l'inconscient collectif du peuple m'pouïais mûr dès lors pour répondre à la provocation.

***

Mon père devait comprendre le langage de ses cochons ; à plus forte raison quand ceux-ci avaient les cordes vocales en panique. Si d'autres considéraient que toutes les exaltations phoniques des communautés porcines se ressemblaient, Mondounga tirait, de leurs façons ponctuelles de donner de la voix, des indications précises. Bien avant l'entrée en vigueur de la bioacoustique savante, il comprenait le message de son troupeau. Par ce canal, il identifiait sans conteste l'agresseur.

C'est dire que le lendemain, au petit déjeuner, je profitai d'un cours sur les méthodes respectives du lion et de la panthère lorsque l'un ou l'autre osait violer les porcheries paternelles.

Quand le rugissant *nkosi* a sauté la barrière, il ne traîne pas dans son ouvrage meurtrier. Tombé là comme la foudre, il concentre toute sa puissance sur le premier cochon qui tombe sous ses griffes. Peu lui chaut que les autres protestent tout à côté comme ils savent le faire. Un lion ne lâche pas la victime choisie. Il faut qu'elle se taise, et vite. Les voisins ne comptent pas. Il les quitte avec un total dédain en tenant à belles dents un corps inanimé.

Un *ngoy* qui se laisse tomber dans un même enclos a une conduite toute différente. Ayant fait irruption au beau milieu d'une communauté animale, il la voit dans son ensemble, sans distinction particulière. La bête dont il se saisit ne lui fait pas oublier les autres. Le léopard la lacère, la malmène, la prend à la gorge. La victime gueule tout ce qu'elle sait pendant qu'il en est temps encore. Ses voisins immédiats font chorus immédiatement, et les voisins des voisins les imitent. Ce grabuge rend fou le *ngoy* qui ne saurait le supporter. Il lâche le premier souffre-douleur pour mettre à la raison le hurleur d'à côté. Et c'est encore du sang ; et ce sont encore des cris perturbateurs. A la droite de la panthère, à sa gauche, devant, derrière, des porcs dotés d'un organe sinistrement tonitruant défient sans le savoir son impatience, sa rage, son exaspération. Pareil fauve aimant opérer dans une volupté conquérante sous les ailes du silence complice obéit férocement à un enchaînement de violences et de hurlements, de bousculades et de diversions assassines. Il distribue des coups de patte désordonnés et ne se reprend tout à coup que quand il s'aperçoit que des vigiles se meuvent à l'approche des lieux de son carnage. La panthère se dégrise enfin et, tenant en gueule la victime qui la gênera le moins au cours de son retrait feutré, se dérobe, dans l'éloignement de ses pas amortis, aux œuvres vengeresses des hommes.

On avait bien fait d'abord de bouger suffisamment autour des porcheries pour lui donner à comprendre qu'il devenait prudent pour elle de ne plus insister, puis de ne pas chercher à couper sa retraite. *Ngoy* s'en était allé comme il était venu, librement, sans se sentir obligé de se planquer dans un massif ou de se percher dans un arbre, prêt à fondre sur l'homme assez fou pour tenter de le débusquer dans la nuit. Mais maintenant, une seconde manche devenait prévisible.

Cette panthère, on la prendrait, une nuit ou une autre, fatalement. Elle finirait par se laisser piéger comme l'on vient se suicider. Mon père me le confirma : « Tu verras, tu verras. »

Malgré mon insistance, je n'obtins pas la permission d'aller voir le tableau des dégâts commis. Comme le spectacle d'un gâchis sanglant n'avait pour moi aucune valeur éducative, je dus me contenter des nouvelles du poste. Eh oui ! quelques cochons, pris pour de menaçants ennemis par la prédatrice, s'étaient éteints sous ses coups.

***

On m'avait, depuis des mois, laissé prévoir cette visite d'un *ngoy* qui ne serait qu'un recommencement, certes très peu fréquent quoique toujours possible, en n'importe quelle nuit. Autour de M'Pouïa, au beau milieu des années 20, les panthères ne manquaient pas. Elles s'adaptaient à la savane comme à la forêt. Les singes les plus communs et les plus répandus comme les oiseaux d'une certaine corpulence leur payaient tribut. L'attaque d'antilopes de petite et moyenne taille leur assurait, de temps à autre, une diversion alimentaire aux heures qui surprennent parce que la nuit l'emporte sans qu'on l'ait vue venir ou parce qu'il fait sombre aux portes du matin. Même les plus imaginatifs des coureurs de brousse avouaient que les panthères tenaient beaucoup à tuer leurs proies sans témoins. D'ailleurs, on ne les surprenait, dans des situations beaucoup moins actives, que très exceptionnellement. Les dix doigts de la main suffisaient à mon père pour compter ses rencontres de visu avec un *ngoy* alors qu'il avait tant de fois traversé un domaine où chassait le fauve à ses heures discrètes. Il eut l'occasion de me faire voir une fois un couple de léopards, juste au début du jour, à deux cents mètres de la fenêtre renforcée d'une toile métallique ouvrant sur la chambre qui m'était réservée. Ces deux-là avaient dû s'attarder en voyage de noces ! Ils s'éclipsèrent d'ailleurs quelques minutes plus tard. Et ma mère se souvenait d'un arrêt dans un poste où l'équipement sanitaire impliquait des cabinets à l'écart de la case. Elle en sortait donc quand un magnifique léopard lui offrit la surprise de faire semblant d'attendre son tour d'entrer dans l'édicule. Ce tête-à-tête ne dura que l'espace d'un éclair. Et les deux vertébrés cueillis à froid qui s'étaient inopinément rencontrés s'éloignèrent aussitôt, en pressant le pas, chacun de son côté. Lequel fut le plus impressionné ?

Les lions, qu'on entendait rugir très souvent, ne passaient pas non plus le plus clair de leur temps à s'exhiber franchement à découvert. Mais leur souci du « pas vu pas pris » n'avait rien de commun avec celui dont ne se départaient jamais les panthères.

***

Le luxe de précautions dont tout *ngoy* entoure, aujourd'hui plus qu'hier, ses chasses clandestines laisse d'infimes chances à un homme de brousse d'en être le fugace témoin, même caché, de la fin du jour au terme de la nuit.

Il a fallu, à une époque récente, les artifices de la photo choc et les tricheries d'un cinéma à émotions prétendument documentaire pour nous abuser. L'attaque d'un cynocéphale en pleine lumière par un léopard, que des magazines à grand tirage ont complaisamment reproduite, laisse de sérieux doutes quant à son caractère d'authenticité. Ne l'avait-on pas arrangée ? Qu'était ce babouin et qu'était ce félin tacheté : bêtes de savane ou captifs sacrifiés sur un espace faussement libre ?

On se pose les mêmes questions à la vue de séquences filmées montrant un fauve d'une maladresse consternante qui a bien du mal à venir à bout d'un pauvre hylochère. L'attaquant manquait d'entraînement de manière attristante. Savait-il seulement tuer ? Comme il avait dû être privé de viande suffisamment longtemps par ses geôliers, force était pour lui de poursuivre coûte que coûte sa laborieuse mais haletante exécution.

***

La panthère que j'allais connaître à M'Pouïa savait toujours frapper fort et juste, même en ayant perdu du nerf et du ressort. Mon père laissait entendre que sa fin serait aussi comme une apothéose. Il avait donné consigne de la préparer selon le procédé habituellement en vigueur dans un poste organisé.

J'assistai avec intérêt à l'édification du piège. Il répondait, en bien plus grand, aux formes et aux proportions d'une ratière. Le même dispositif aurait à jouer pour emprisonner l'animal à éliminer. De solides rondins, accolés sur tout le pourtour, furent profondément enfoncés en terre. Des lianes fortement serrées les attachaient les uns aux autres. Ainsi renforcé, l'édifice élaboré ne craindrait rien des bonds du fauve entre sa capture et son exécution. Disposés horizontalement au-dessus de ceux que l'on avait plantés dans le sol en les y enfonçant de soixante-dix centimètres, d'autres rondins formaient un toit que rien non plus ne pourrait ébranler.

Deux parties distinctes ressortaient à l'examen du piège considéré intérieurement. Au fond, un espace assez restreint où serait attaché un chien malade devant servir d'appât. En avant, passée l'entrée, une pièce plus spacieuse pouvant contenir la panthère invitée à s'y rendre. Entre les deux, des pieux verticaux rejoignant la toiture mais assez espacés pour que la prédatrice passât sa patte en direction de la proie rencontrée sur son chemin.

Évidemment, la première chambre resterait ouverte à dessein. En y entrant, la tueuse de cochons mystifiée sur son parcours heurterait un tremplin commandant une porte coulissante par l'intermédiaire d'une liane amovible. Dès retombée de cette fermeture, c'en serait fini d'une carrière de fauve bien remplie.

A son achèvement, ce piège offrait des dimensions presque monumentales : plus de deux mètres de longueur, un mètre de largeur et un mètre vingt de haut. Il se trouvait juste érigé sur l'itinéraire reconnu de la tueuse survenue dans la nuit précédente. Avant de choisir l'emplacement, quelques traces avaient été relevées. Et le point d'arrivée dans l'enclos ne prêtait pas à discussion. La récidiviste virtuelle se coulerait donc dans la nuit tout droit vers le dispositif conçu pour l'emprisonner. La présence du chien l'attirerait là même où l'on voulait qu'elle se fourvoyât. Et le reste ne serait qu'une formalité.

***

Dès lors, commença le compte à rebours. J'imagine aujourd'hui ce que furent les derniers jours d'une bête libre retournée dans son habitat broussailleux, ayant avec elle de quoi combler le déficit alimentaire qui précéda son audace. Elle tenait sous sa patte de quoi se repaître. Mais sa récompense ne serait-elle qu'un intermède débouchant sur de nouvelles chasses manquées ? Ses repas, dans sa condition, n'étaient que palliatifs. Ensuite, quoi et où ? Comment retrouver les détentes anciennes ? Les singes et les touracos resteraient-ils hors de sa portée ? Toutes les antilopes conserveraient-elles un élan supérieur à son démarrage ? Les gloires perdues ne se rattraperaient-elles pas ?

Personne ne sait comment une panthère esseulée s'interroge. Mais elle doit bien le faire. Elle possède un cerveau qui commande à ses muscles. En se remettant en chasse, elle n'obéit pas qu'à son instinct. La voici qui retourne sur les terrains de ses nombreux exploits où sa seule présence reniflée incite tous les pillards de plantations à prendre de la distance. Ils sont ainsi contenus dans leurs tendances ravageuses. Le grand mérite du *ngoy* en inspection carnassière n'est pas seulement d'effectuer des coupes sombres dans des populations simiesques qui, sans ses prélèvements, seraient en surnombre, commettant de ce fait beaucoup plus de dégâts. Autrement importante, la dissuasion inhérente à la simple présence d'un léopard empêche les saccageurs de tout poil de s'attarder sur les lieux de leurs déprédations. A la sauvette, quelques-uns n'arracheront que des brins du nécessaire mais ne perdront pas de temps à gaspiller du superflu.

La panthère baladeuse en impose toujours. Elle promène sa légende avec elle, même en traînant la patte. Son incapacité provisoire ou définitive de rattraper des animaux convoités n'aliène en rien son pouvoir d'effrayer tous ceux qui l'aperçoivent. Elle sert encore, la prestigieuse gardienne de plantations. Il faudrait lui apporter de quoi manger quelque part dans son espace vital pour la laisser à même de poursuivre ses rondes sans être obligée d'aller prendre son dû sur le domaine des hommes.

***

Je dérive à peine dans la mémoire de nuits d'attente. Le *ngoy* se dérobait. Il résistait à la tentation des porcheries. S'était-il emparé de proies malades, faiblardes, faciles en somme ? Chaque matin, le chien servant d'appât se voyait délivré. On lui offrait une pâtée pour le remettre de ses émotions. Et l'on pensait à autre chose en attendant le soir.

La panthère se glissa enfin dans le poste alors qu'on ne songeait plus intensément à elle. Peu propices à cette venue semblaient les conditions réservées par le ciel. D'ordinaire, une nuit éclairée d'étoiles inspire moins le fauve tacheté, même si la fringale tend à l'égarer jusqu'où on lui interdit d'aller.

Depuis l'érection du piège, personne n'allumait des feux de veille. Au lieu de l'éloigner, l'on voulait attirer le léopard porté sur le cochon. L'absence de flammes aux abords des cases l'avait-il décidé ? Toujours est-il que la chute de la trappe libéra tout à coup de confuses angoisses comme le fait la tornade en son diluvien déchaînement.

L'ivresse du peuple m'pouïais succéda instantanément au lourd choc perçu de toutes parts. Une rumeur de victoire enfla dans le poste, faisant bientôt place à des clameurs guerrières. Lances brandies, des excités accouraient. D'autres gesticulaient en encerclant le piège. Certains feignaient des charges héroïques. L'interprétation de simulacres de vengeance alternait avec des danses frénétiques. Les sarcasmes se mêlaient aux éclats puérils. Comme traversé par les ondes bousculées, le léopard, dans sa prison, faisait de terribles bonds. Un paquet de nerfs se révoltait contre son destin, électrisé par le délire humain qui le cernait.

Les teneurs de lances, au paroxysme de leurs démonstrations, paraissaient prêts à clouer le fauve à travers les interstices des rondins. Le cercle furieux se contiendrait-il enfin ? Oui... non... Mondounga voulait calmer la foule qu'enfiévrait de plus belle une phrase qui dansait avec les êtres emballés rien qu'à la prononcer. Ils se la renvoyaient comme un mot de passe irrésistible : *Esili akangui ngoy,* on a fini d'attraper le léopard. C'en était soûlant. Oui, oui, on l'avait là, tout près, à portée de sagaie. On le sentait ; on l'entendait. Des yeux phosphorescents clignotaient dans le piège autant que se débattait le félin condamné. Sa mort était dans l'air. Elle prendrait odeur de poudre. Une seule balle, suffirait, dans la tête ou au défaut de l'épaule. Le coup partit, foudroyant le combattant vaincu. Deux mots seulement se confondirent avec ce qu'on eût pu prendre pour une oraison funèbre : *Esili, a kofi,* c'est fini, il est mort.

*
* *

Cette panthère m'a tenu très longtemps compagnie puisque, transformée en descente de lit, elle me fut donnée. De mes pantoufles, je l'ai usée jusqu'à la trame. Naturalisée, elle montrait les dents comme aux derniers instants de sa vie, à l'épreuve des férocités humaines. Quand elle était encore bête de chair, au lendemain de sa mort, je l'ai caressée. Et mon père m'a dit qu'on avait eu affaire à un très valeureux adversaire. Assurément, il lui rendait hommage. Il semblait même presque ému.

Je revois Mondounga desserrant la gueule du léopard abattu et je l'entends lui donner un âge en relevant des stigmates : « Tu vois, sa peau grillée par endroits nous dit qu'il a passé à travers plus d'un feu de brousse. Regarde les dents usées du vieux mâle qui n'en pouvait plus. Dans un sens, il a fini en beauté. »

*
* *

A l'épisode de l'écorchement, Gampo fut expressément prié de folâtrer avec moi sur un autre terrain. Mais je compris fort bien ce que voulait dire cette opération. Je vis, peu après, la peau du grand félin tendue pour qu'elle séchât. Fixée sur une planche, mise à l'ombre, elle était, pour quelques jours, couverte de cendres. Au sortir de ce traitement de précaution, elle risquerait moins les détériorations imputables aux moisissures et aux parasites.

La peau de ma panthère serait bien traitée, bien tannée. Mais je n'en serais pas fier comme Tartarin. Elle me convierait à des reproches confus. La vue de la viande du même fauve, préparée par ceux qui l'aimaient, contribua peut-être à m'ancrer dans le sentiment de sa résurrection, hors des appétits écœurants. Les ripailles de Bamboschi et de Bangangoulou m'impressionnèrent bizarrement. Des torses huileux et luisants se penchaient sur d'énormes calebasses où des morceaux du félin baignaient dans une sauce. Flottaient autour d'eux des relents de mauvaises graisses et de chairs moites. Les convives formaient un cercle animé. Ils occupaient des places dictées par les préséances. Un ordre hiérarchique présidait au festin sans risque pour quiconque d'être lésé tant les rations du jour paraissaient abondantes. Chacun plongeait les mains dans les récipients. Les gros morceaux tirés étaient dévorés à belles dents. Dans des calebasses voisines, il y avait aussi, à disposition, du pain de bananes, du manioc bouilli. Mais les banqueteurs revenaient vite au plat de résistance. Ils paraissaient décidés à tout ingurgiter. Voracité ? On se tromperait fort à ne s'arrêter qu'à cette évidence. De la panthère consommée, ils réclamaient l'héritage des valeurs et des qualités d'une espèce rayonnante. En l'absorbant, ils la célébraient. Après, bien sûr, en s'étendant sur des nattes pour avaler, entre deux rots, des gorgées d'un vin de palme appelé *masanga,* ils n'auraient l'air que de vulgaires bâfreurs alors que leur rêve intime les conduirait vers de nobles transcendances.

Morte, la panthère, vive la panthère!

CHAPITRE XI

Avec les gens du fleuve

Des gosses de la rive, j'enviais les ébats. Comme l'avaient fait ceux des générations venues au monde avant eux, ils vivaient en symbiose permanente avec le fleuve. Tous leurs actes étaient tournés vers ce munificent Congo qui n'arrêtait pas de défiler devant leurs yeux. Leurs parents lui devaient tout. Même quand des eaux montantes les contraignaient au repli, ils restaient sous la dépendance fluviale, campés presque au ras du cours nouvellement gonflé.

Les enfants de mon âge (d'alors) comme les plus petits regardaient sans étonnement les adultes vaquer à des fonctions familières. ils s'imprégnaient de ces exemples qui leur inspiraient des élans ludiques. Les voir pousser avec les anciens la pirogue que l'on mettait à l'eau me donnait envie d'en faire autant. Ils apportaient à cette manœuvre tant de verve et de joie, tant de candeur et tant d'éclat que je me reprochais, à les admirer, de ne pouvoir faire comme eux, prisonnier que j'étais de mes vêtements et de petits souliers. Ayant la plante des pieds trop tendre et une peau considérée comme plus exposée que celle des négrillons aux nématodes responsables de l'ankylostomiase et aux insertions sous les ongles des orteils de chiques importunes, je devais rester chaussé pour rendre visite aux petits camarades qui couraient, marchaient et sautaient pieds nus. Cette contrainte m'empêchait donc de participer à la mise à l'eau d'une pirogue ou de barboter pour aider des pêcheurs à débarquer leur poisson.

A défaut, je m'attardais à regarder fabriquer ces embarcations autour desquelles des gamins du fleuve s'adonnaient à leurs jeux innocents ou espiègles dans des exhalaisons de pêche et des émanations de marécage.

La plupart des pirogues que j'avais sous les yeux ne procédaient pas d'un assemblage de planches mais du travail pratiqué sur un tronc unique. D'ailleurs, je voyais comment s'y prenaient les fabricants. Ils travaillaient devant moi et accueillaient ma curiosité sans déplaisir. Leur art se produisait au grand jour. En ma présence, se préparaient de prochaines conquêtes au sein du Congo sur un chantier sans échéances fixes. Le travail effectué n'était pas breveté mais tout le monde savait ce que l'on pouvait en attendre : un hydrodynamisme et une étanchéité d'une qualité supérieure, à l'épreuve des flots.

Après l'abattage et l'équarrissage de l'arbre choisi au cours d'un débarquement sur une rive abondamment boisée, des Boubangui le convoyaient jusqu'en bordure de leur village. A ce moment, tous s'y mettaient pour le hisser à terre. Et les petits copains noirs n'étaient pas les derniers à s'atteler. La matière d'une pirogue future attendait alors d'être travaillée. Son immobilisation durait un temps indéterminé. Puis un beau jour, des hommes avisés s'emparaient de la pièce de bois. Ils aplanissaient d'abord le côté qui devait former le dessus de l'embarcation. Sur la surface rendue plane, on passait au creusage d'une saignée de moyenne largeur et l'on y entretenait un feu pour activer l'opération. Rongeant progressivement le bois, les flammes assuraient le relais de l'outil. Elles élargissaient, sur toute la longueur voulue, l'excavation commencée. L'entretien de ce foyer exigeait de bien doser son intensité. Son action corrosive devait être maîtrisée après avoir provoqué l'effet attendu sur l'épaisseur prévue. Voilà pour l'intérieur qui n'attendait plus qu'un travail de dégrossissement et de fignolage. L'extérieur, à son tour, demandait à être égalisé. La finition en pointe comptait beaucoup dans la réussite de l'embarcation destinée à fendre l'eau en beauté. Sa stabilité et son profil étaient, Dieu merci, entre les mains de gens compétents qui connaissaient fort bien la musique du fleuve.

***

Il y avait toujours, à une distance raisonnable du meilleur point d'accostage, une vingtaine de grandes et moyennes pirogues qui se côtoyaient. Elles étaient tirées en retrait afin de leur éviter malheur en cas de tornade. Cette précaution s'imposait. Au retour de leur cabotage le long de rivages sylvestres, les coupeurs de bois, après avoir débarqué leur chargement, n'oubliaient jamais de s'y conformer.

Les petites pirogues servaient beaucoup. Certaines mesuraient à peine trois mètres. Elles étaient utilisées pour la pêche individuelle ou, tout au plus, à deux personnes. Leur maniabilité m'enchantait. Je voyais le possesseur de l'une ou de l'autre lui faire prendre le bon cap avec une jolie aisance. Il s'apprêtait parfois, par temps calme, à traverser le fleuve pour aller proposer, sur sa rive gauche, des poissons fumés de sa préparation. Ou bien, sous les souhaits enjoués de gamins, il semblait se laisser aller au petit bonheur vers des pêches nouvelles.

Négligents à coup sûr dans d'autres domaines, ces utilisateurs de petites pirogues accordaient à celles-ci des soins précautionneux. Lorsqu'ils ne devaient pas se servir pendant plusieurs jours d'une embarcation, ils se gardaient bien de la laisser à l'air libre. Ainsi, pas de craquelures à craindre du fait des rayons solaires. Après l'avoir immergée, ils l'attachaient solidement au fond de l'eau.

Les responsables de grandes pirogues ne les traitaient pas non plus à la légère. Les vérifications à cale sèche n'étaient jamais oubliées. Une fois par an au moins, recommençait l'opération du passage au goudron.

***

Avec leur matériel flottant, ces Boubangui se permettaient des audaces et des expéditions qui faisaient d'eux d'assez redoutables chasseurs aquatiques. Délaissant momentanément leur routine halieutique, ils s'adonnaient à la capture d'hippopotames repérés au cours de leurs navigations. Sans dommage, ils parvenaient, quand l'occasion les inspirait, à trucider l'un des gros mammifères amphibies nageant autour d'eux comme si rien ni personne n'avait existé dans leur voisinage. Opérant tour à tour en pirogue, puis de la rive, ils se servaient avec une prodigieuse adresse d'une espèce de harpon. Il s'agissait d'une sagaie assez lourde mais courte que leurs utilisateurs montraient volontiers avec fierté. Une large pointe de fer coupante et armée de dents acérées était fixée au bout de l'instrument. Avec cette seule arme, un homme sûr de son geste atteignait mortellement le lourd pachyderme au moment même où le dos de celui-ci émergeait. Le tranchant pénétrait profondément dans le corps. Et la tête, vite expirante, coulait bientôt. Le repère de son point de chute demeurait aisé pour la suite grâce à un câble attaché au harpon mais dont le lanceur tenait l'autre bout.

C'étaient, dans le cadre d'une existence quasi autarcique, des prises permettant des exploitations variées. La chair d'hippo, le cuir d'hippo, les défenses d'hippo comptaient lourd. On le voyait bien quand ces produits apparaissaient sur le marché de M'Pouïa. Ceux qui les exposaient, en maîtres des eaux très jaloux de leurs prérogatives, piégeaient aussi des loutres et commençaient à comprendre que la peau douce de ces bêtes comme l'ivoire d'hippopotame intéressaient vivement les *Mondélé*. Les Boubangui avaient vu là, au début, prétexte à cadeaux et occasions d'échanges. Le temps était venu pour eux de piéger et de chasser plus souvent, au-delà de leurs propres besoins. Le crocodile trouvait de même des amateurs. Avant, on l'avait tué pour le punir de défier les hommes trop près de leur habitat. Bon débarras, et au prochain qu'on mangerait, bien entendu, après l'avoir estourbi. Désormais, la demande en peaux de crocodiliens, imprudents ou non, se répercutait, encore timide, jusqu'aux bords des rivières équatoriales. Les motivations changeaient doucement. Pourtant, les Boubangui paraissaient immuables, indépendamment de leurs avancées et de leurs reculs en parfaite synchronisation avec ceux du Congo. Ils restaient attachés au destin, aux colères et aux générosités du fleuve qui les façonnait.

* * *

Fouineurs impénitents, ces Boubangui excellaient dans la détection d'œufs de crocodile et les extrayaient de la terre où ils avaient été mis, à plus ou moins proche distance de la rive, en un endroit ombreux. Rivaux des varans dans cet exercice, ils procédaient d'abord à l'état des lieux car une femelle pondeuse, quoique ne couvant pas à proprement parler, revient assez souvent surveiller le nid qu'elle a enfoui. Ayant le champ libre ou faisant le nécessaire pour qu'il le devînt, ils localisaient le bon coin à creuser. Aux approches de l'éclosion, ils repéraient même cet emplacement à l'oreille. Des appels de petits crocodiles mûrs pour leur libération leur parvenaient, étouffés mais perceptibles quand ils mettaient la tempe contre le sol. Toc toc... Voilà du moins ce qu'ils racontaient en prétendant qu'ils devançaient alors la mère croco pour l'avoir vue, certaines fois, déblayer la terre qu'elle avait précédemment tassée au terme de son dépôt. Mais il leur advenait aussi, après avoir remarqué la première opération, de prendre des œufs tout frais pour en faire leur régal.

Ceux qu'ils apportèrent à la maison, en une fin d'après-midi, contenaient, au contraire, des reptiles formés, fin prêts à sortir de leur enveloppe. D'ailleurs, les donateurs nous suggérèrent de vérifier ce qu'ils affirmaient en collant ces œufs contre notre oreille. Nous nous surprîmes alors à écouter le message interne des locataires comme si leurs contenants avaient été des mécanismes magiques. Les beaux jouets que l'on m'offrait là ! Car bien entendu, le cadeau s'adressait au *mwana*, à l'enfant. On savait que ce présent lui plairait. Mon père ne sourcilla pas. Ma mère hocha la tête et confirma son assentiment par la remise d'un *matabis* de gratitude.

Les crocodiles naquirent peu après. On les eût crus là à l'abri de leurs ennemis naturels, varans, grands échassiers, rapaces, mammifères carnivores. Or, ils n'échappèrent pas à un prédateur moins sauvage : le chat de la maison qui les prit pour des lézards.

Ainsi furent-ils regrettablement détournés de prometteuses carrières crocodiliennes si je me réfère à des assertions scientifiques qui attribuent à ces jeunes reptiles le pouvoir de contenir les risques d'extension de la bilharzioze. En effet, les gastéropodes aquatiques représentent la nourriture préférée des crocodiles quand la taille de ceux-ci se limite à quelques dizaines de centimètres. Parmi ces mollusques, les bullins sont les hôtes du parasite propagateur d'une maladie qui fait de trop nombreuses victimes. Là où il n'y a plus de crocodiles aujourd'hui, on remarque une recrudescence de vers dénommés bilharzies. Et ceux-ci opèrent odieusement dans les intestins des hommes.

Inutile de préciser qu'on ignorait ces rapports de cause à effet en 1926 ou en 1927. Les cas de bilharzioze n'étaient pas rares ; les crocodiles non plus. Mais on se dispensait d'imaginer que la maladie eût été plus répandue sans ces derniers.

***

On sait que, selon les tribus de l'Afrique tropicale, le crocodile peut être vénéré, toléré ou chassé avec plus ou moins d'acharnement. Les Boubangui ne lui réservaient aucun culte, on l'a compris. Mais son existence ne semblait pas les importuner outre mesure. Quand le reptile n'avait plus l'âge de se contenter d'escargots d'eau comme ces bullins récepteurs de larves de bilharzies, il devenait surtout un actif ichtyophage. La grosseur des principaux poissons consommés augmentait avec la croissance du prédateur. Celui-ci ne se risquait à capturer de moyens mammifères qu'après avoir atteint la moitié de sa taille maximale que les mesureurs sérieux fixent à moins de cinq mètres. Les individus enhardis au point de s'approprier de plus grosses victimes n'étaient pas légion. On rapportait que de petits hippopotames voire de tout jeunes éléphants pouvaient être entraînés au fond de l'eau par un crocodile au summum de son développement mais le témoin prétendument oculaire ressemblait fort à l'homme qui a vu l'homme qui a vu l'homme qui a vu l'ours manger la boîte aux lettres et le facteur avec.

Il y avait, certes, des victimes humaines. Mais quand ce malheur se produisait, il entrait dans l'historique du village. Des bracelets d'une jeune négresse furent retrouvés dans un crocodile à la faveur de son autopsie avant dégustation. Ils passèrent de main en main. On les considéra comme des gris-gris, d'un œil superstitieux.

Les victimes terrestres les plus fréquentes étaient des chiens. Ils se faisaient surprendre en venant boire au bord d'une mare qui leur paraissait déserte ou juste au ras du fleuve à l'endroit même où il ne se passait jamais rien. Cette martyrologie canine est assez connue pour avoir au moins inspiré une fable. Je l'ai apprise en espagnol « *El perro y el cocodrilo* ». Mais je ne me rappelle que le premier vers...

Un perro bebia en el Nilo.

Oui, le chien buvait au bord du Nil. Et le crocodile lui disait : « Mais approche-toi davantage, amigo. Nous discuterons plus facilement. » Vous imaginez la traîtrise si le toutou ne s'était méfié de cette invite en prenant du champ.

***

Un grand reptile aquatique aux façons de sirène ne se voit que dans les fables. Mais voilà qui montre au moins jusqu'où il laisse divaguer les imaginations. Celle de ma mère était animée par le fantasme du crocodile entré dans le potager. L'idée, en elle-même, n'avait rien d'absurde. Des individus de l'espèce sont exceptionnellement vus à deux cents mètres ou plus à l'intérieur des terres, surtout quand celles-ci sont parsemées de flaques. En l'occurrence qui la préoccupait, le jardin se trouvait submergé sur sa partie basse par les hautes eaux. Mais la clôture de bambous serrés tenait toujours debout, dessinant une enclave au-dessus du niveau du fleuve exhaussé. On pouvait entrer à pied sec dans la partie supérieure de ce terrain fertile et avancer jusqu'à ce qu'on fît trempette. Venus avec moi dans ce rectangle aux trois quarts inondé, des moutards de la berge, tout en suivant des sillons bêchés, atteignaient l'eau et s'y enfonçaient sans plus de façons. Et de nager avec une totale décontraction comme le jour de leur premier contact avec cet élément. Les petits Boubangui pratiquaient la natation instinctive. Ils savaient d'avance comment s'y prendre pour flotter en se déplaçant. Cet exemple me frappait. Pourquoi pas moi ? Ma mère fut informée de ma doléance par Gampo. Elle ne s'étonnait pas du désir de son *mwana* de se conduire, pour l'occasion, comme tous les petits êtres de sa taille, riverains du fleuve. Mais si un *caïman* avait profité d'une trouée dans la clôture de bambous ? Persuadée, à force de harcèlements, qu'une baignade ne provoquerait aucun drame, elle finit par céder. Mais non sans qu'eussent été opérés des sondages pour savoir si le jardin demeurerait, côté Congo, un enclos infranchissable par un reptile aux droits d'antériorité indiscutables.

***

Moyennement rassurée, ma mère me parla encore du *caïman* comme du loup-garou. Personne ne la reprenait quand elle commettait une erreur zoologique aussi fâcheuse que de désigner comme boa un véritable python. Là encore, elle empruntait une dénomination attribuée à des espèces différentes, quoique proches parentes, vivant sous la même latitude mais dans le Nouveau Monde, de l'autre côté de l'Atlantique. Comme cette confusion faisait partie d'une habitude couramment partagée, j'ai mis moi-même un fameux bout de temps à m'en délivrer.

Donc, caïman ou crocodile, il fallait diablement veiller au grain. Ma mère surveillait de la rive mon entrée dans les eaux du Congo qui ne donna lieu à aucune émotion visible. Et je crois bien que, comme les chiens, les canards et les rats, je me suis laissé allé à nager d'emblée. En tout cas, je ne vois pas où l'on m'aurait appris, par la suite, à le faire. La grâce du fleuve m'avait été donnée.

Le lendemain, plus question de recommencer. Ma mère prétexta de nouveaux sondages donnant à penser qu'à un endroit, la clôture du jardin s'en allait en charpie. Le « caïman » avait une voie de passage si, par hasard, il s'était aventuré, à ses risques et périls, dans ce secteur de grande fréquentation humaine. Je me le tins pour dit. Les eaux baissèrent, dégageant complètement le jardin. La barrière de bambous sécha. Peu d'efforts furent nécessaires pour la restaurer et la solidifier.

***

Après la conjuration du danger crocodilien, je dus me contenter de voir d'autres que moi gigoter dans les eaux en compagnie d'adultes célébrant le rite éternel du fleuve. J'allais ici et j'allais là, toujours en compagnie du Mentor dénommé Gampo. Le songe du Congo me visitait encore. Je m'y attardais tout en me sachant un peu ailleurs, n'importe où, loin dans le temps comme dans l'espace.

Le canot « automobile » de papa moisissait mélancoliquement dans cette anse toute calme de la rivière de M'Pouïa où il n'y avait jamais plus rien à signaler. Je restais là à rêvasser sans trop savoir ni pourquoi ni comment. Des bruissements d'oiseaux d'eau invisibles et secrets se fondaient dans mon propre silence. Un jour, je m'en irais. Je commençais à y penser.

Gampo, qui savait parler d'abondance, se taisait comme moi en ces curieux instants. Parfois, il me tenait le bras, sans un mot. Ce geste sécurisant me sauva le jour où celui qu'on n'avait repéré à aucun moment en un pareil endroit réputé sans problème révéla sa présence dans un élan fulgurant du corps accompagné d'une trajectoire de la queue. Tiré violemment en arrière, je compris aussitôt que je faisais partie de ces petits mammifères à l'assaut desquels un crocodile de bonne taille, jamais vu, jamais signalé, jamais soupçonné est tout à fait capable de tenter sa chance.

Dès lors, je ne pris plus à la légère les discours de ma mère sur les « caïmans » qui surgissent soudainement du néant pour vous y entraîner.

CHAPITRE XII

Funérailles au village des Batéké

M'avait-on dit que les plus forts et les plus hardis du village des Batéké s'étaient éloignés dans la brousse pour venir à bout d'une panthère coupable de prises intempestives aux dépens de leur maigre cheptel ? Il me semble que non. Du départ de cette troupe, je ne conservais aucun souvenir. Que voulait-elle alors ? Se lancer dans un pistage de routine ou assumer un traquenard mûrement réfléchi avec mise en place d'un système léger de capture ? Quoique n'ayant pas été, par ricochet, dans la confidence du poste, je devinais que le retour d'une grande affaire faisait trembler l'horizon. Des voix infatigables, lointaines encore, assuraient le rejaillissement d'un exploit digne d'éloges chantants. Mais il n'y avait pas que de la victoire dans l'air. L'Afrique de la souffrance et de la mort se mêlait à celle de l'exubérance. Les hommes, les femmes et les enfants des huttes captaient un message à deux temps. La main de l'imprévu s'y trouvait associée. A mesure qu'avançaient les marcheurs du lointain, des échos de malheur confrontés à des regains de joie atteignaient les tympans. On eût dit le balancement de la mer avec son flux et son ressac. Des femmes se trémoussaient, timidement d'abord, puis avec une intensité grandissante comme si leur corps avait abrité le combat des mauvais diables et des sortilèges libérateurs. Ces forces adverses venaient de se rencontrer, au tournant du destin. Leur dualité reprenait au fond des êtres. La chorégraphie instantanée des instincts, des intuitions et des divinations illustrait ce que devenait le sentiment de tout un village. On n'avait encore pour ainsi dire rien vu. Mais tout donnait à penser que des douleurs allaient le disputer aux joies comme le confirmait le cortège alternativement allègre et souffrant qui perçait enfin la brousse. On y remarquait deux sortes de porteurs. Les uns exaltaient la réussite; les autres accompagnaient les affres de la fatalité.

***

Je n'avais que des yeux d'enfant. Mais ceux qui me restent aujourd'hui semblent refléter, dans toute son émotion et tout son fantastique, ce que je vis alors. Les hommes, les femmes du village, emportés par leur ensorcellement, se laissaient secouer par un démon intérieur alors que parvenaient, presque à leur hauteur, des brancardiers au désespoir et des porteurs, ivres de leur fonction, brandissant un fauve inerte. La jonction se faisait entre les sédentaires en effervescence au terme d'une attente contrariée et les revenants d'une expédition qui, pour son chef, avait très mal tourné. Terribles se montraient les contrastes en présence. On pouvait voir des diables dégingandés vantant la prise effectuée et entendre des proclamations rythmées sur la force des sagaies du village tandis que s'élevait un concert de lamentations. Le désordre des voix, des chants, des gestes s'interrompit pourtant comme sous l'effet d'une injonction céleste. Un meneur de jeu d'une grandiose nudité s'immobilisa comme tout le peuple réuni. Et le *mokonzi* à l'agonie dit quelques mots pour incriminer le mauvais sort. Il savait que, le lendemain, un autre chef aurait à le remplacer.

Interloqué, mon père ne trouva d'abord rien à lui répondre. Puis lui vint le fallacieux courage de promettre l'impossible. Il parla d'une pirogue qui conduirait le mourant jusqu'à des *ngangabouka*, certes éloignés mais rattrapables, aptes à le bien soigner. Mais le *mokonzi* couché sur sa civière sut répondre : « Je n'en veux pas, *Na lingi té.* » D'abord, il ne croyait qu'à moitié à la médecine des *Mondélé*. Et puis quoi, nul ne pouvait plus rien contre les mauvais diables qui l'avaient frappé.

Leur acharnement se lisait sur ce corps. Un sang épais sortait de plaies profondes. La coagulation ajoutait à la boursouflure de multiples blessures. Un bras traversé par les crocs du fauve, une cuisse labourée de coups de griffes, en partie, déchiquetée, l'arcade sourcilière et une joue à demi arrachées, un buste couvert d'ecchymoses et d'écorchures s'inscrivaient, indélébiles, dans ma mémoire.

Mondounga me confia, bien des années plus tard, qu'il s'était reproché d'avoir proposé à cet homme un impardonnable voyage à la poursuite, sur l'eau, de chimériques interventions. Ils eussent seulement connu les puanteurs de la gangrène, plus insistantes que les plongées des pagaies dans le fleuve, avec l'interminable enchaînement des heures désespérées, jusqu'au dernier râle du chef terrassé par les mauvais diables. Ce vain défi, il l'avait vécu une fois. Comment s'être laissé aller à l'énoncer encore ?

Qu'importait, après tout, puisque le gisant défiguré tenait à ne pas quitter son village afin d'y expirer parmi les siens !

***

Dans ces heures comme dans les soirs qui suivirent, il resterait présent jusqu'au-delà du trépas. Le fauve attaché par les pattes à un solide bâton, la tête pendant vers le sol, demeurait sa conquête. Quelques heures plus tôt, il lui revenait, alors que ce *ngoy* se voyait entravé, toute retraite interdite, de le faire taire d'un coup de fusil à piston. Mais le heurt d'une liane changea le cours des choses. Il chuta sur sa prise et, malgré les sagaies lancées, eut aussitôt affaire aux griffes et aux dents qu'animait une intense colère. Déposé dans sa case, le chef vécut dans l'imminence de sa fin, en ce village aux souffles retenus qui se préparait aux débordements des grandes funérailles.

Enfin, au bout du jour, les fusils firent savoir que c'en était fini. Des détonations en série prirent à témoin le ciel. Puis, au moment même où s'arrêtait la pétarade, le soleil se déroba comme s'il avait été abattu par cette salve. Et la nuit répondit au signal des *mondoki*.

Elle venait à point pour présider à tous les exorcismes du fonds tribal. Le soir s'emplissait de hurlements que coupaient des pleurs collectifs dont l'écho se prolongeait. L'air porteur en était envahi. Avant évacuation des éclats précédents, d'autres cris et d'autres larmoiements s'y bousculaient dans leur succession.

Quand se firent entendre les premiers battements de tam-tam, les génies de la danse répondirent aussitôt. Les corps s'exprimèrent comme l'eût voulu le chef. Je ne les voyais pas, perdu que j'étais dans la grande case en dur où vivait la famille, mais profitais d'une description paternelle des offices au pays des Batéké. De mémoire, Mondounga racontait des signes, des gestes, des rituels. Les interprétations dont il se faisait le récitant correspondaient aux circonstances dont nous connaissions le tragique.

Il savait qu'une telle nouvelle devait être confirmée, auprès de villages amis, par une présence charnelle. Foin de tam-tam télégraphe !

Des messagers partaient à travers les pays batéké. Ils se présentaient comme tels pour énoncer une invite. L'usage le voulait. Alors, des égaux du défunt, des notables de son rang s'engageraient sur une piste avec quelques accompagnateurs. Ils apporteraient avec leurs personnes des éléments décoratifs réclamés par le cérémonial. Ces contributions étaient des tissus ou des étoffes confectionnés par l'artisanat de l'ethnie ou obtenus à la faveur de trocs. Des dessins assez voyants, des couleurs vives caractérisaient la plupart d'entre eux. La proscription du noir s'imposait. Nul n'aurait eu l'idée d'y faire appel pour symboliser le deuil. De même, l'on pensait qu'un chef trépassé avait beaucoup plus besoin d'habillement qu'au cours de sa vie.

***

Tous ces notables, dans leur déplacement, faisaient en somme comme les rois mages en route pour Bethléem. Ils obéissaient à la règle tribale. Celle-ci voulait que les diverses pièces apportées servissent à envelopper le trépassé, d'abord comme une momie, avant disparition de la forme humaine sous un amoncellement d'étoffes. Celles-ci, à force d'être enroulées les unes sur les autres, formaient un grand ballot d'un aspect curieusement conique. L'assemblage final ne résultait pas d'une confection au petit bonheur. Des choix préférentiels comptaient dans l'utilisation des tissus, étant entendu que les couleurs les plus voyantes devaient être mises par-dessus tout le reste.

Mon père m'annonça que le décor se mettrait peu à peu en place, parallèlement aux réceptions de respectables représentants de villages plus ou moins éloignés dans les terres ou même situés sur l'autre rive, en arrière du fleuve. Dans un certain sens, ce serait somptueux. Tout M'Pouïa se verrait convié. Et il paraissait impensable que quelque invité osât répondre non.

Moi aussi, j'en serais. Mes parents me le garantissaient. Et je pourrais alors ouvrir tout grands les yeux, tendre des oreilles avides, connaître ces instants pour les conserver toujours.

***

Quand je me rendis en pleines funérailles, celles-ci en étaient à la troisième nuit de leur déroulement. Aux rythmes des tam-tams, tout le village semblait former une caisse de résonance. On s'accroupissait et, en ces ambiances enflammées, l'on ne savait plus où se trouvait le rêve et où subsistait le réel.

Proches de moi, hommes et femmes exposaient leur macabre féerie qui s'animait en continu, juste à côté de la case du chef défunt. Les lances du village étaient plantées tout autour de l'imposant monument de chiffons. Pointées vers le ciel à dessein, verticalement dressées, elles constituaient une barrière symbolique. A celle-ci d'empêcher tout mauvais démon de troubler le repos du chef décédé.

Ces danses qui m'assiégeaient, comment les définir quand je me les rappelle telles que je les ai vues ? Quel sens, après une si longue décantation, leur donner qui soit indiscutable ? Je pense à ce mot du *Boula matari* John-Rowlands Stanley : « La nuit venue, toute l'Afrique danse. » Certes oui, quand la lune commande aux êtres d'avoir des pas, des élans, des éclats qui la fêtent. Mais il s'agissait à M'Pouïa, dans ce soir prolongé, de bien autre chose. Les tam-tams ne résonnaient pas parce qu'un explorateur doté de grands moyens peu rassurants remontait le deuxième des fleuves géants de la planète. Leurs battements rythmaient la mort d'un chef. Les chorégraphies en cours extériorisaient l'anéantissement comme la résurrection. Je le crois, je le sens. Devait prévaloir, à maintes reprises, un rythme forcené mais pathétique, entre le coucher et le lever du jour, autour du monument funéraire et de son cercle de lances.

Accroupis autour des feux, une queue de lion à la main pour les plus vénérables, des colliers de dents de panthère autour du cou, de vieux dignitaires délabrés regardaient et approuvaient le spectacle.

***

Fut-ce en leur honneur ou à cause de la présence de Mondounga, et de sa femme, et de son enfant – ou encore, tout simplement, par la force des choses – que les rythmes se firent bientôt plus vifs et plus déchirants les larmoiements des femmes ? Mais cette fois, les impressions d'assistants tels que mes parents viraient de l'étrange, du funambulesque, à l'envoûtement tapageur et débridé. On atteignait le point culminant des excitations après deux nuits durant lesquelles tous les corps s'étaient progressivement échauffés. Des acteurs en piste nous le faisaient savoir dans leur vent de folie.

Des feux tremblaient avec des ombres. Comme des lucioles, leurs flammes jaillissaient, puis s'éteignaient. Et d'autres étincelles rubescentes assuraient la relève. Un homme fort et gros commandait les cadences du tam-tam. Sa peau luisait à la lueur des foyers. Parfois, il s'emballait. On l'eût dit enragé. Il tapait sur le tambour à coups redoublés. Ses cris prenaient une perçante acuité. La levée des vivants, comme subjugués par son appel, devenait générale. Tous ceux qui en avaient l'âge et la force se jetaient ensemble dans une frénétique sarabande. Puis l'imposant personnage aux irrésistibles volontés réduisait son rythme. Son tempo changeait. Il touchait le tam-tam plus qu'il ne le frappait. Le calmant qu'il insufflait à travers sa musique modifiée transformait très momentanément l'assistance. Que signifiait donc ce ralentissement ? Des sons presque assourdis faisaient croire à un danger tout proche. Saurait-on l'éloigner ? Une série d'incantations s'élevait à cette fin. Elle semblait procéder d'un langage inventé, seulement digne de celui qui l'employait. Suivait, dans le dialecte des Batéké, l'oraison funèbre du chef. Des pleurs forcés coupaient, par instant, l'endormante déclamation. Les quelques danseurs qui se produisaient dans le même temps exécutaient une marche lente mais non exempte de soubresauts. Comme pour approuver l'oraison et cette prestation plus mesurée, tous les autres assistants frappaient dans leurs mains, levant puis rabaissant la tête.

Enfin, le sauvage officiant décidait un changement de séquence. Abandonnant ses psalmodies, il poussait un cri qui portait très loin, touchant l'Afrique au cœur. Et de battre tam-tam plus vite et plus fort que jamais auparavant. D'autres hommes l'accompagnaient. D'eux mêmes, ils formaient orchestre. Autour des lances recommençait, comme le suggérait leur musique, une ronde spectrale.

***

Joyeux ou tristes ? Plutôt les deux à la fois. Ils devaient obéir à des pulsions occultes. Les uns derrière les autres, ils avançaient, dans une danse aux pas scandés, sous le tumulte des tam-tams. Des rires s'échappaient, que Satan n'eût pas désavoués, et qui secouaient des corps tout entiers, mais aussi des hurlements dans un règne de douleur. Des visages se levaient vers le ciel comme pour proférer des malédictions. Puis les exécutants avançaient ou reculaient en se déhanchant et en remuant l'arrière-train avec une vigueur stupéfiante.

Je voyais, j'entendais; j'étais aux premières loges. La brousse sans apprêts se donnait à moi. Une chanson païenne allait crescendo. Des mimes simulaient une lutte grandiose contre un ennemi invisible. Il fallait chasser tous les *ndoki mabi*, tous les esprits malins, tous les mauvais diables qui assiégeaient l'endroit. On s'y employait avec un cœur énorme. Et très certainement, le simulacre devait se terminer, à l'avantage des exorciseurs, par la fuite de tous les génies maléfiques. Les vain-

Un python avaleur de gorets.

Nez-creux, le lépreux chaleureux,
avec la mère de l'auteur.

Visite d'une Européenne chez les Batékés, à Kounda.

La préparation du manioc.

Mère Marie de la congrégation de Saint-Joseph de Cluny ; supérieure de la Mission de Brazzaville.

Passage du chef Makoko à Brazzaville.

Le songe du Congo me visitait encore.
Je m'y attardais tout en me sachant un peu ailleurs,
n'importe où, loin dans le temps comme dans l'espace...

queurs en riaient ensemble avant de s'affaisser, laissant la scène à d'autres qui se précipitaient aussitôt pour prendre le relais.

Les danseurs n'avaient que de minces pagnes. La coutume des Batéké ne demandait pas davantage. Elle exigeait quand même une matière d'origine locale. Pas d'étoffe profane. Seuls valaient alors les cache-sexe ancestraux, faits de toile bleue ou de raphia.

Que d'hommes grimés pour tenir des rôles cultuels auxquels chacun était accoutumé ! Apparaissaient des visages peinturlurés à l'aide d'ingrédients d'une composition spécifiquement villageoise avec des raies d'un blanc laiteux sur les joues et le pourtour de l'œil passé à l'ocre ou au rouge, et des traits sur le nez et le front. Des torses zébrés, des corps couverts de ces ahurissants motifs paraissaient appartenir à un cortège de revenants.

*
* *

Les femmes rivalisaient avec les hommes. Ngangia et Ngomokabi n'étaient pas les dernières à le faire. Mais les plus déchaînées étaient les épouses du mort. Elles aussi ne portaient qu'un pagne minuscule de toile bleue ou de raphia. Leurs pleurs confinaient à l'hystérie quand d'effroyables cris les relayaient. Elles trépignaient, se barbouillaient de poussière, feignaient de s'arracher la figure. Pour n'être pas soupçonnées de prendre leur deuil à la légère, elles devaient se livrer à ces abominables démonstrations.

Leur condition nouvelle serait lourde de contraintes. Déjà, elles avaient dû se raser entièrement la tête dès le décès du chef, leur mari, sacrifiant une coiffure de queues de rat si bien soignée avant le drame. Pour plusieurs mois, la consommation de manioc leur demeurerait interdite. Elles étaient condamnées, sinon au jeûne, du moins à un rigoureux carême. Seuls, des patates douces et un épinard congolais appelé *mogounza* leur restaient autorisés. Cette cure forcée d'amaigrissement libérerait les pauvres de toute graisse entre la peau et les os.

Au bout de cette épreuve, tous les tabous alimentaires ne seraient pas levés. La chair de l'espèce animale responsable de la mort du mari restait définitivement bannie. Les veuves n'y avaient désormais droit sous aucun prétexte. Heureusement, il s'agissait, pour celles du chef, d'une panthère dont la viande, chez les Batéké, demeurait délaissée de toute manière. Mais quelle mortification s'il s'était agi d'un buffle, d'un éléphant ou d'une grande antilope.

***

Mon père et ma mère me soufflèrent ces détails avant de m'inviter à aller me coucher. J'obtempérai, les oreilles bourdonnantes. Des rires fous auxquels répondirent des cascades de battements firent, derrière moi, rebondir des ondes dans la nuit grésillante.

Rendu à ma chambre, assommé quoique curieusement lucide, j'entendais le village tout en proie à ses rites. Mes parents, sur le chemin du retour, m'avaient prédit que, sans discontinuer, jusqu'à l'inhumation, il y aurait des clameurs et des piétinements. Mais il me semblait que, de nouveau, là-bas, le tam-tam s'assourdisait. Alors, je revoyais le bonhomme infernal, porteur d'un collier d'amulettes et maître des nerfs de tout un chacun, renouant avec la vie du défunt pour la réciter, comme des psaumes, entre deux démentes possessions des corps et des esprits. Comme me l'avaient précisé mes parents, il ne prononcerait jamais le nom du mort. C'eût été attenter à sa mémoire. Ce tact et ce respect prévalaient même au paroxysme des sens exacerbés.

Quelques jours plus tard, je remis les pieds avec Gampo dans le village assagi. J'y reconnus avec peine la case du chef trépassé près de laquelle je m'étais assis durant la fête funèbre. Toute démantibulée, laissée à l'abandon pour décourager les maléfices, elle répondait, dans cet état pareil à celui qu'aurait produit une tornade épouvantable, au dernier impératif coutumier du cérémonial de la mort au *pays des Batéké*.

CHAPITRE XIII

Trypanosomiase et mouche tsé-tsé

Heureuse coïncidence, alors que je rassemble tout ce en quoi la maladie du sommeil a frappé mes yeux et mon cœur d'enfant, l'occasion m'est donnée de rencontrer, en plein Paris, au palais de la Découverte, une communauté de glossines, alias mouches tsé-tsé, dans le cadre de l'exposition « Mi-démons, mi-merveilles ». Celle-ci nous montre avec brio ce qu'est la biologie de la plupart des insectes qui font le plus parler d'eux. Parmi les arthropodes vedettes effectivement présents, les vecteurs du trypanozome m'ont été annoncés par l'Office pour l'information éco-entomologique. Et les voici mis en lumière, à plusieurs stades de leur évolution. Planté devant une vitrine, je suis invité à regarder les batifolages des trop célèbres diptères. Avec un peu de patience, je vais contempler leurs noces. Dans une cage de verre climatisée, volent mâles et femelles. On assiste aussi à d'autres étapes de la reproduction tandis que les panneaux consacrés aux tsé-tsé titrent : « Des mouches pas comme les autres. » C'est alors qu'on apprend, tout éberlué, que les glossines femelles ne pondent pas mais accouchent. Chacune d'elles, m'explique-t-on, ne produit qu'une larve à la fois. Celle-ci se nourrit, dans l'utérus, d'un « lait » sécrété par des glandes. A maturité, elle est déposée sur un sol propice à son développement ultérieur.

Cela me laisse songeur. Voici donc, analysées et détaillées, les originalités de la transmission de la vie chez ces mouches que je tiens pour responsables de l'inoculation de la maladie du sommeil à mon père au cours de son dernier séjour africain et à ma mère, par deux fois.

Ces mouches, je croyais ne les avoir que trop vues. Maintenant, elles me fascinent. L'exposition m'aide, par son commentaire, à les décortiquer. Les graphiques de leur morphologie m'enseignent que leurs ailes se recouvrent en lames de ciseaux et dépassent l'abdomen. Que ne nous explique-t-on pas sur la trompe piqueuse qui peut être si maléfique ! Longue et fine, renflée en bulbe à sa base, elle se trouve enchâssée, au repos, entre les palpes des mâchoires. Outre les antennes à soies plumeuses, désignées sur le dessin, il est fait état d'un abdomen gorgé de sang.

Le vampirisme chez les glossines fait partie de l'emploi du temps des deux sexes. Elles effectuent ce prélèvement nourricier tous les deux ou trois jours en choisissant de piquer un animal sauvage ou domestique quand ce n'est pas un homme. Et lorsque l'insecte colporte le protozoaire maudit dans l'organisme humain, le terrain rencontré s'avère beaucoup moins résistant que chez bien des bêtes libres. « D'ailleurs, me dit Albert Challier, le concepteur scientifique de cette présentation, on a pu établir, en une zone d'étude particulière d'Afrique tropicale que 50 % des piqûres de tsé-tsé touchaient des crocodiles et des varans. » Chez ces reptiles, l'agent pathogène, quand il leur est légué, ne prospère pas gravement. Il en va de même pour des antilopes comme le guib harnaché. Les hippopotames aussi sont piqués par des glossines porteuses sans connaître pour autant des lendemains pénibles. Certains herbivores doivent, par ailleurs, avoir un sang répulsif pour ces diptères qui les dédaignent toujours pour leur plus grand bien. Il semble en aller de même pour le lion que tant de mouches agacent. Mais il ne lui réussit pas toujours de dévorer certaines antilopes contaminées.

Depuis que mes parents supportaient tant bien que mal ces insectes à M'Pouïa et que ma chair juvénile se trouvait exposée à leurs faveurs, bien des choses, je le constate, ont été apprises sur leur compte.

Chaque larve qu'expulse la glossine femelle est appelée à vivre à l'état de pupe – de nymphe si l'on préfère. A ce stade, la question de la nourriture ne se pose pas. L'insecte en puissance se transforme en jeûnant. Il vit de l'air qu'il respire par deux lobes postérieurs.

Le produit des accouchements de tsé-tsé frémit devant moi en ce palais de la Découverte. Je n'en crois mes yeux que pour avoir appris à ne m'étonner de presque plus rien au monde. Il repose sur une assise comparable aux sols meubles et humides choisis par leur espèce dans l'Afrique originelle. La transition que vivent les pupes en des endroits sombres de savanes boisées, de forêts ou de galeries forestières nous est restituée ici même. Elle dure à peu près un mois. Passé ce terme, des insectes parfaits s'expriment comme on le déplore. Ils ont le pouvoir de voler. Mais où vont-ils donc, de préférence, se ravitailler ?

Rétrospectivement, je me pose cette question à propos de M'Pouïa. J'imagine d'abord les gîtes d'où pouvaient sortir des tsé-tsé : une rive molle, en ce bord de rivière prête à se perdre dans le Congo et qu'ombragent des branches qu'on dirait faites pour veiller sur les eaux ; ou bien ces avancées du fleuve, là où cesse l'immersion, à leur pied, des arbres les plus voisins et se trouvent remises à nu des terres amollies.

Les mouches qui se libèrent s'en iront bientôt, si l'occasion leur en est donnée, piquer au plus près. Des marquages de tsé-tsé capturées et libérées ont quand même permis de constater la reprise de certains individus à quatre kilomètres du point de leur lâcher, juste le lendemain. Mais en quelques jours, certaines peuvent aller beaucoup plus loin pour accomplir le plus commodément leurs prélèvements sanguins. On en retrouve à 25 km du lieu qui fut le point de départ de leur vie d'insectes accomplis. Quelquefois, pour parvenir à cet autre séjour, la traversée de savanes très claires n'a pas fait peur à la mouche identifiée. Un type d'habitat survolé qui ne saurait la retenir l'oblige à allonger sa performance. Placée devant cet impératif, une championne de la distance parcourue s'est même éloignée de trente kilomètres de son envol initial.

Presque malgré moi, je repense aux glossines m'pouïaises. Contrairement à celles qui opèrent dans des zones assez peu boisées, où s'éparpillent les herbivores sauvages ou domestiques et où les hommes sont très disséminés, elles n'ont pas à voler loin et longtemps pour se faire du bon sang. En Afrique de l'Est, m'est-il précisé, ce sont surtout des récolteurs de miel sauvage, des braconniers et des chasseurs qui héritent de trypanozomes par l'intermédiaire des tsé-tsé. Mais au Gabon ? Mais au Congo ?

On a enquêté. On a interrogé des gens qui avaient contracté la maladie du sommeil. Des cartes des foyers pathogènes ont pu être dressées. On y voit beaucoup plus clair. Questions posées : « les occupations familières ? »... « Où conduisent-elles ? » Les réponses ont permis d'apprendre que des endroits où l'on fait rouir le manioc sont particulièrement fréquentés par des tsé-tsé opérationnelles. On a établi aussi que des hommes ou des femmes ayant à se rendre souvent trop près d'une rivière, et le faisant torse nu, attirent sur eux plus souvent la piqûre de la mouche vectrice.

Quoi d'autre ? Le risque encouru est plus grand sur des lieux de baignade, près de débarcadères, de gués, de bacs. Et il y a des gîtes péridomestiques autour des villages et dans des plantations, non loin de forêts de quelque importance.

Autant dire que les glossines ont plusieurs raisons de se trouver à leur affaire à M'Pouïa.

Par bonheur, dans l'immense majorité des cas, les piqûres de ces mouches ne se traduisent pas par la transmission de la trypanosomiase. Sinon, c'en serait fini depuis longtemps de toute présence humaine en Afrique tropicale puisque les féticheurs les mieux inspirés sont restés impuissants contre le fléau.

Entre le premier accouchement d'une femelle, une quinzaine après son essor, et le second, il ne s'écoule pas plus d'une dizaine de jours. Au cours de son existence, qui dure en moyenne deux mois et demi (encore qu'on connaisse des records de longévité de huit mois), elle assure, au bas mot, le développement de cinq larves.

Pratiquement, sur tout le long de l'année, il y a des noces de glossines, des larves en développement dans des utérus de tsé-tsé, des pupes qui se transforment en insectes parfaits – les femelles mettant deux jours de moins à émerger que les mâles.

Qu'y a-t-il dans la nature pour pondérer cette engeance ? Pas mal d'animaux gros ou minuscules, voire microscopiques. Buffles, hippos, éléphants, antilopes ne manquent pas, en piétinant de leurs gros sabots des réservoirs à pupes, d'écraser nombre de ces nymphes avant qu'elles aient le pouvoir de s'envoler. Tous les oiseaux qui extirpent le vivre du *poto-poto*, limicoles africains ou autres échassiers, prennent leur part de ressources nymphales. L'insecte volant est poursuivi par des gobe-mouches, des hirondelles, des martinets. Et les tsé-tsé comptent parmi les captures des araignées. Elles s'exposent, en outre, à la prédation d'insectes comme les asilides ou au parasitage des mutillides, ces hyménoptères noirs et jaunes au thorax brun chez lesquels le mâle a la capacité, en vol, de transporter la femelle aptère.

On a découvert aussi qu'il existe au moins une bactérie mortelle pour les glossines, des champignons qui leur portent gravement atteinte et des nématodes qui les parasitent. Mais tout cela ne suffit pas pour réduire à fort peu l'effectif des tsé-tsé en activité. Aussi, depuis un demi-siècle, s'efforce-t-on, avec des bonheurs divers, de les empêcher de nuire. On s'est employé à établir ce qui détermine le taux de croissance des populations de ces mouches. L'idée de rendre inopérantes les relations entre mâles et femelles en tentant des expériences d'irradiation des géniteurs a mobilisé des chercheurs en Tanzanie comme dans le sud du Burkina-Faso. La réalité d''une transmission de messages chimiques entre sexes, discernée sur le terrain, a inspiré des expériences tendant à attirer quantité de ces mouches pour leur réserver un mauvais sort. On s'est de même intéressé aux sons produits par des partenaires virtuels dans des conditions variées de lumière et d'état physiologique. Mais malgré tous ces efforts, les ravages de la maladie du sommeil reprennent périodiquement.

La noble ambition d'éliminer une fois pour toutes les tsé-tsé d'un secteur où la diffusion des trypanozomes devient affligeante a rencontré des déconvenues en série. L'une des premières trouvailles aboutit, dans les zones les plus touchées, à de monstrueuses campagnes d'abattage des animaux sauvages soupçonnés d'être les hôtes des protozoaires infernaux. Les excités du *mondoki* purent s'en donner à cœur joie. On fusilla à volonté des masses d'ongulés. Le système eut surtout pour effet de priver des hommes et des femmes de l'Afrique rurale des tropiques d'appréciables disponibilités en protéines. Eût-on voulu les rendre tributaires du corned-beef qu'on n'aurait pas agi autrement. Mais les maîtres de l'opération entendaient surtout affamer les mouches.

Ayant tapé sur une faune qui laissait peser sur elle de graves soupçons, l'on décida de faire aussi profiter la flore sauvage de coupes sombres. Comme les tsé-tsé se reposent, dans leurs moments d'inactivité, sur les parties basses des plantes, la pratique des éclaircissements forestiers pour rendre leur habitat invivable entra en vigueur. Quand elle fut inaugurée, le souci des nuances ne parut pas s'imposer. Par la suite, les responsables de ce genre de travail l'accomplirent avec plus de mesure le long de galeries forestières, à proximité de villages. Il importait de laisser aux habitants l'essentiel de leur cadre de vie tout en essayant de rendre leur santé moins précaire. Place devait demeurer, sur des terrains défrichés, pour des rizières, des jardins ou des potagers.

Les maîtres d'œuvre des travaux exécutés se réclamaient d'une spécialité dite prophylaxie agronomique. Parmi ceux-ci, l'on comptait beaucoup de gens dont le discernement n'avait pas fondu dans la chaleur africaine mais aussi quelques ultras de l'abattage des arbres prêts à ordonner des coupes rases impitoyables entre des zones de reproduction ou de repos des tsé-tsé et des villages qu'elles étaient susceptibles de visiter. A d'autres prétextes de déboisement radical, s'ajoutait celui-là.

Vint la Seconde Guerre mondiale qui précipita l'invention du DDT. On crut, avec cet insecticide, posséder l'arme suprême. Sus aux tsé-tsé grâce à l'organochloré épandu par avion ou par hélicoptère sur des zones infectées ou qui semblaient l'être potentiellement. Cette méthode drastique parut miraculeuse. Plus une seule mouche repérable après un solide épandage. Le pays pouvait se consoler, à ce constat, d'être imprégné d'une dose relative de toxicité rémanente.

Hélas, au bout de quelques mois, des glossines effectuèrent leur rentrée dans les airs, contrairement aux antilopes et aux buffles soustraits, quant à eux, depuis belle lurette, aux privilèges de la résurrection là où on les avait exterminés. Ainsi, dans les pires situations, les quelques populations accrochées à leur sol obstinément retrouvaient-elles des tsé-tsé sur une terre délivrée de presque tous ses herbivores, dépouillée d'une forte partie de son patrimoine arboré ou arborescent et commise au stockage des séquelles du DDT.

A ces effets induits, s'ajoutait l'exode d'une bonne proportion des habitants concernés par le problème d'ensemble. Ceux-ci, se sentant sur place dans des conditions plus invivables que celles des glossines, finissaient par aller renforcer des bidonvilles citadins. On admet, en effet, que les insectes en question ne paraissent pas se plaire en ville.

Tant de déceptions n'inclinent cependant pas au découragement définitif quelques férus d'éco-entomologie à la recherche de solutions de remplacement. A eux de résoudre des énigmes encore posées par les tsé-tsé mais aussi de stopper leurs élans sans risquer d'empoisonner partiellement la création.

De leurs réflexions, sont sortis, entre autres choses, des pièges astucieux : il s'agit d'écrans imprégnés d'insecticide ou de conceptions qui sont, en fait, de véritables boîtes à malice. Leur teinture associant le bleu sombre, le noir et le blanc a tout lieu d'attirer les tsé-tsé accoutumées à des refuges plutôt sombres. Les mouches s'approchent de l'appareil de capture qui laisse percer comme une lumière faiblarde. Dès lors, elles se laissent entraîner dans un conduit qui les fait remonter tout en haut du piège où elles basculent dans un sac; il ne leur reste plus qu'à y mourir. Tels pièges bi-coniques, mis au point sous l'égide de l'ORSTOM – Office de Recherche scientifique et technique outre mer, devenu Institut français de Recherche scientifique pour le Développement en Coopération – ont déjà bénéficié d'améliorations portant sur la nature des tissus et sur leur teinte la plus attractive. On espère qu'une extension du procédé aux principales zones infestées, qui se répartissent sur dix millions de kilomètres carrés à cheval sur l'équateur, permettra, sinon de circonscrire toutes les tsé-tsé (il ne faut pas rêver), du moins de capturer un très grand nombre d'entre elles.

***

En considérant ce piège dans le détail, je le transporte par la pensée à M'Pouïa. Je lui trouve aussitôt des affectations que je crois judicieuses.

Cela me plonge encore davantage dans le bain équatorial. Une déchirure s'élargit dans mon sac à souvenirs. Je revis en agrandissement une journée peu commune : celle durant laquelle le tam-tam télégraphe avertit la compagnie m'pouïaise de la très prochaine arrivée d'une équipe médicale chargée de soigner la maladie du sommeil. La nouvelle se répandit avec une formidable célérité. Jamais encore les M'Pouïais n'avaient reçu des visiteurs investis d'une telle mission. L'annonce, bientôt connue de tous, excitait la curiosité générale. Les interrogations allaient bon train sur ce qu'allaient faire subir les *ngangabouka.* Elles exprimaient à la fois l'espoir et la méfiance. La médecine des *Mondélé* pouvait justifier des appréhensions. D'aucuns glosaient à son propos sans trop savoir en quoi elle consistait. Certains s'en amusaient d'avance. Quelques-uns croyaient qu'ils s'y prêteraient. D'elle, ils retenaient uniquement ce que leur en avait fait connaître la *mwasi* de Mondounga : bicarbonate, eau oxygénée, teinture d'iode, pommades et pansements sommaires. Le reste leur était inconnu. Ils l'imaginaient drôlement et échangeaient comme des impressions anticipées. On palabrait ferme sur la tournure que pourrait prendre l'événement.

Mon père, qui n'osait en attendre des prodiges, était consulté par tout un chacun. Aux uns et aux autres, il répondait qu'il ne connaissait pas les *ngangabouka* portés en tipoye avec leur matériel à quelques lieues en brousse et qu'il fallait attendre sans se faire de mauvaises idées. Ils venaient pour soigner les malades. Et ceux-ci devaient se réjouir. Pas de craintes à avoir. Là-dessus, mon père déployait ses dernières ressources de persuasion pour faire comprendre le plein sens du mot confiance. Ma mère le relayait, s'adressant surtout à ceux chez lesquels la trypanosomiase commençait à se manifester selon son diagnostic incertain. Elle leur prédisait une guérison quasiment assurée. Mais elle ne trouvait pas le courage de mentir à tel ou tel, parvenus au dernier stade de la maladie.

Quand l'équipe médicale fut aperçue en même temps qu'entendue, car des porteurs donnaient, bien entendu, de la voix dans la fière affirmation de leurs prérogatives et ne se lassaient pas d'en relancer les accents, les M'Pouïais eurent tôt fait de l'entourer. Des interrogations fusaient, comme pour libérer d'indéfinissables tourments intérieurs. Un forum africain se confondait avec l'accueil.

Le docteur blanc à barbe blonde au fait du travail à accomplir était flanqué de deux infirmiers noirs initiés depuis peu et d'accompagnateurs chargés du port de cantines, d'un matériel thérapeutique léger et d'une mallette en fer contenant des médicaments.

Mes parents comprirent rapidement que ce praticien n'avait pas la capacité d'assurer un traitement de longue durée. D'ailleurs, il ne faisait que passer. Pas question de le voir réapparaître avant longtemps. Aux malades qui voulaient guérir de se débrouiller pour rallier Brazzaville où on les prendrait médicalement en charge. Après détection de leur cas au village, on ne pouvait les gratifier que d'une première piqûre.

La tête des sommeilleux invités à quitter leur hutte pour être hébergés très loin de là on ne savait trop comment eût mérité une photo instantanée. La perspective ne les enchantait aucunement. Ils n'acceptaient, cela sautait aux yeux, que des soins à domicile dans leur intimité familiale, villageoise et tribale. Au toubib, ils adressaient des signes de dénégation et tout le clan se mêlait à la palabre. Mais le *ngangabouka* de passage n'en démordait pas. Les gens à guérir devaient accepter de déménager. Pour un peu, il aurait lancé ce mot d'ordre : « Brazzaville ou la mort. »

De guerre lasse, le médecin blanc proposa sans y croire : « Si l'un de vous veut apprendre à faire la suite des piqûres ! » Le traducteur énonça cette proposition en dialecte lingala et même dans celui des Batéké. Les interpellés ouvrirent des yeux tout ronds. Et finalement, une seule personne se porta volontaire.

Ce fut ma mère. Heureux de sortir de l'impasse dans laquelle il se voyait bloqué, le jeune toubib à barbe blonde lui adressa un regard de reconnaissance éperdue. Enfin, une porte de sortie s'ouvrait. Il allait pouvoir s'échapper décemment. Ailleurs, il verrait bien comment les choses se dérouleraient. Il enchaîna aussitôt : « Vous savez faire des piqûres, madame ? » Certes, elle n'avait jamais essayé mais elle ne demandait qu'à apprendre. « Parfait, reprit le médecin encore plus fugitif qu'ambulant par la force des choses, je m'empresse de vous montrer. Vraiment, ce n'est pas difficile. Je vais vous laisser toutes les indications. » Il était content ; il se sentait délivré. Tout se passerait désormais pour le mieux, il n'en doutait pas.

Le docteur itinérant partit comme il était venu : en fanfare. Le tamtam télégraphe fit passer la nouvelle de son départ vers un village éloigné dont le nom avait été extorqué aux porteurs par quelques petits malins. Et ma mère, munie de consignes suffisantes, ayant noté les doses que devaient contenir les seringues, les espacements à prévoir entre deux piqûres, les précautions d'hygiène à prendre se mua en *ngangabouka* comme si l'obtention du diplôme d'infirmière avait été pour elle une très vieille histoire.

Après avoir été sermonnés, ses patients, que des incisions pour tatouages en relief ne troublaient pas, accueillirent avec une résignation grandissante les aiguilles qui se plantaient dans leur peau. Leur bon ange tint scrupuleusement un état des malades avec les noms, les âges présumés, les ethnies, les dates des piqûres infligées. Et de transmettre à Brazzaville les comptes rendus de ses soins et des améliorations enregistrées dans l'état de celui-ci et de cet autre. On avait le bon goût de lui en accuser réception. A M'Pouïa au moins, on assurait une continuité de traitement à des gens qu'on n'avait pas dépaysés. Ceux qui ne vivaient que la première phase de la trypanosomiase, voire le tout début de la seconde, réussissaient à guérir et ne se plaignaient pas de revenir de loin tout en étant restés chez eux.

Je voyais se dessiner des guérisons, car Gampo et moi faisions souvent bénéficier la soignante de notre escorte inutile. Elle la supportait tant que nous ne compliquions pas sa tâche. Quand elle en avait assez de nous avoir sur les talons, elle nous envoyait poursuivre ailleurs nos investigations.

Quelques hommes, quelques femmes d'autres villages se résignèrent à aller se faire soigner à Brazzaville. Mais il en fut qui, quoique guéris, n'en revinrent pas. Peut-être parce que l'organisation de leur retour manqua de tonus. Ils participèrent alors à cet agglomérat humain qui ne fit qu'enfler avec les recrutements autoritaires de main-d'œuvre pour la construction du chemin de fer Pointe-Noire-Brazzaville, aboutissant à des quartiers comparables à des prisons ouvertes dont l'Afrique aurait pu se passer.

Des années après que ma mère eut fait, au débotté, ses classes d'infirmière, une recrudescence de la maladie du sommeil provoqua la mort de la moitié de la population dans certains villages de l'Afrique de l'Ouest. Les médecins vadrouilleurs furent, alors, complètement débordés. Puis, plus d'un demi-siècle s'étant écoulé, j'ai pu lire, extrait d'un rapport de l'Organisation mondiale de la Santé : « Bien que cinquante millions de personnes au moins en Afrique soient exposées aux piqûres de la mouche tsé-tsé et risquent d'être infectées, quelque dix millions seulement ont accès à des services de santé capables de diagnostiquer la maladie ou sont protégés par des activités de lutte anti-vectorielle. »

CHAPITRE XIV

Séjour à Brazzaville

Ma mère se montrait beaucoup moins patiente qu'à l'ordinaire. Elle se plaignait d'insomnies répétées. Chaque matin, elle faisait référence à un œil qu'elle n'avait pas fermé de la nuit. Cela devenait une antienne. Le jour, elle se ressentait de son manque de repos. Elle essayait néanmoins d'honorer ses pôles d'intérêt quotidiens. Cet effort n'allait pas sans des sautes d'humeur plutôt contraires à sa nature. Elles étaient d'autant plus remarquées. Dans leur for intérieur, les M'Pouïais se demandaient : « Mais qu'a-t-elle donc ? » Mon père se posait la même question vite assortie d'un soupçon : « Et si c'était ça ? » Mais il n'en dit d'abord rien. Il voulait croire à une crise passagère ; il en fut pour ses illusions. Des journées s'écoulaient sans apporter l'amélioration attendue. Les rapports humains se trouvaient faussés par un état de nerfs à fleur de peau chez un être bénéficiant habituellement d'un heureux caractère.

Je profitais à tout bout de champ de l'énervement maternel ; Gampo n'y échappait pas non plus. Un rien de notre part réveillait une irritation prompte à se manifester. Mais comme nous n'étions pas les seuls, loin de là, à excéder ma mère sans le vouloir, nous nous faisions une raison en tâchant de passer inaperçus. Cette politique de l'autruche, dont nous n'avions pas l'exclusivité, n'arrangeait aucunement les choses. Le problème posé autour d'une personne au comportement différent de ce qu'il était normalement demeurait entier. On comprenait de plus en plus qu'il ne pourrait être réglé dans la passivité.

*
* *

Quand la décision qui s'imposait fut prise, j'appris que j'embarquerais, moi aussi, pour Brazzaville par le prochain bateau. Mon père y tenait beaucoup. Ma mère serait rassurée de m'avoir avec elle. La nouvelle ne m'enthousiasma pas. Je l'accueillis plutôt avec résignation. Pour la première fois de ma vie, une vague idée du devoir filial me visita. J'allais donc contribuer à soutenir un moral défaillant en quittant une brousse pour aller vivre quelque temps dans une ville.

Là-bas, que ferais-je sans Gampo ? Je me permis cette objection. On ne l'éluda pas. Les meilleures assurances me furent prodiguées. Je connaîtrais des petits camarades aussi blancs que moi. Cette invraisemblable nouveauté contribua à renforcer un sentiment de plongée dans l'inconnu qui ne laissa pas de m'inquiéter.

Soit ! Je devais me préparer à faire contre mauvaise fortune bon cœur. Oui, oui, j'y consentais. « Maman doit avoir la maladie du sommeil, il ne faut pas la contrarier », me glissa-t-on dans le creux de l'oreille. Quand on entend de telles recommandations, l'on se sent subitement investi d'une grave responsabilité.

Ce n'était pas en soignant des malheureux travaillés par la trypanozomiase que ma mère avait contracté la même maladie. La contagion ne se produit pas directement d'un individu à un autre. Mais quand une tsé-tsé rôde dans les parages !

Mondounga croyait savoir à quoi s'en tenir. Il affirmait toujours que l'écrasement sur la peau d'une mouche piqueuse multipliait les risques de transmission de trypanozomes. De ce geste, il se gardait de longue date. Cela lui avait jusqu'alors réussi. Aussi tenait-il à faire école. En Tunisie déjà, la pratique de l'éloignement non violent de tout insecte suceur de sang recommandée par quelque vieux sage, était entrée dans ses habitudes... « On rejette un pou avec précaution, quitte à l'écraser d'un coup de semelle aussitôt après. » Cette magnifique théorie ne rencontrait pas toujours un accueil sans réserve. Primait, chez beaucoup de ceux qui l'entendaient, le pressant désir de détruire un agresseur à l'instant même de son flagrant délit. Mais ma mère avait accepté la logique de cette leçon. Une inattention exceptionnelle de sa part pouvait avoir suffi. Une claque trop automatique est si vite donnée à un diptère qui se croit tout permis.

Quand donc, cette vigilance mal conduite, cette réaction malencontreuse ? Ma mère se le demandait. Mon père l'aidait à fixer ce point d'histoire. Cette introspection reprenait presque comme un passe-temps en attendant le bateau pour Brazzaville. L'interrogation bien connue « Quelle mouche m'a piquée ? » n'entraînait cependant pas, à force d'être répétée, une réponse indiscutable. Le mystère persistait.

***

Maladie du sommeil ? Cette définition convenait vraiment peu au premier stade du développement. Au contraire, prévalait le manque à dormir qui marquait l'individu soumis à cette épreuve. Même en s'assoupissant, inquiet et crispé dans le jour, il ne rencontrait pas le vrai repos. Au mieux, il sommeillait à moitié, par à-coups. Puis la nuit revenue ne lui laissait guère de répit.

L'enfoncement dans une somnolence insurmontable ne se manifeste que beaucoup plus tard, au dernier stade de la maladie, quand il n'y a plus rien à faire. Le trypanozome s'est alors emparé de tous les points névralgiques du sujet. Un corps tout amaigri et sans réaction se détache de la vie.

Pour ne pas en arriver là, ma mère descendrait spécialement le Congo. Parvenue à destination, elle se confierait à des médecins issus du corps militaire qui passaient le plus clair de leur temps à délivrer des possédés du trypanozome. Père les connaissait bien. C'étaient des amis. Il les tenait en grande estime. Il fallait aller à eux, on l'a vu. Pour avoir appris à stopper la maladie du sommeil dans sa phase première, ils jouissaient d'un prestige qui inspirait la louange du peuple congolais vivant autour d'eux. En somme, grâce à ces bienfaiteurs de l'humanité, j'entreprenais un voyage qui m'enchantait moyennement. S'ils avaient disposé d'un personnel considérable à demeure près des grands postes de l'intérieur congolais, je ne serais pas remonté prématurément sur ce bateau accueilli à M'Pouïa dans la plus chantante tradition des *A zali na kikolo*. Il venait du haut comme on le proclamait et s'apprêtait à se diriger vers le bas avec, à son bord, une passagère qu'on présumait atteinte de la maladie du sommeil.

Curieusement, dès qu'elle mit le pied sur le pont, ma mère parut tranquillisée. Elle croyait au repos retrouvé. La croisière qui s'amorçait la rassérénait dès avant le départ. La délivrance pointerait au bout de son trajet. D'avance, elle se félicitait de devoir faire escale à Ngabé où mon père, on le sait, avait un droit de regard. Le Mondélé qui nous accueillerait serait celui-là même qui s'était laissé aller à une indélicatesse promptement repérée. Je verrais sa tête d'homme réhabilité et il me parlerait comme à un grand garçon. A considérer la mienne, il ne devinerait pas que je savais sur lui quelque chose de peu commun.

***

De l'homme de Ngabé, je traçais de drôles de portraits en laissant courir ma pensée au fil de l'eau. Et d'allonger ou de raccourcir son nez, selon les moments, en lui lissant de longues moustaches ou en le faisant tout glabre. Il me plaisait de le recomposer pour autant que je l'abordais comme un personnage un peu irréel sur fond de tam-tam télégraphe. Du poste où il se tenait, je m'appliquais à faire surgir une image assez conforme à la réalité. Le site que j'échafaudais différait fort de celui de M'Pouïa. A vérifier, n'est-ce pas ? Dans cette intention, je pris plaisir à interroger ma mère qui me présenta Ngabé comme une place privilégiée des Batéké. Et pourquoi donc ? Mais à cause de Makoko, le roi, le grand chef qui avait des sujets des deux côtés d'un fleuve en retrait duquel il se tenait inébranlablement. Et pour quelle raison ?... La peur de l'eau ? La tradition, rien que la tradition rimant avec superstition.

Il n'y aurait donc pas, selon toute probabilité, de Makoko en vue. « Mais, me dit ma mère, comme pour me consoler, nous verrons certainement Galifourou. » Il s'agissait, compris-je, d'une figure historique, contemporaine du traité entre Brazza et les Batéké, d'une survivante au charme fripé mais irrésistible. J'entendis parler de cette veuve du premier Makoko comme d'une amie fidèle, toujours présente quand on l'attendait, toujours empressée. La vieille copine de maman m'était annoncée.

Au Makoko en fonction de ne pas voir le fleuve. Mais Galifourou se trouvait dispensée de ce tabou. Mise d'avance au courant des passagers qui pouvaient l'intéresser, la princesse congolaise se précipita vers ma mère dès qu'elle le put et serra contre elle son rejeton avec force manifestations d'amitié. J'étais comblé. Une créature charismatique du monde des Batéké s'intéressait à moi. L'homme de Ngabé, rasé de frais mais dont le nez différait encore de ceux que je lui prêtais, photographia cette scène touchante. Hélas, je ne vis jamais par la suite le résultat du cliché à cause d'un ratage du développement imputable à l'intervention de cancrelats. Dommage ! Je conserve, de Galifourou, l'extravagante toute de gentillesse, excitée par le poids même des ans, radieuse jusque dans ses attitudes grimacières, un souvenir où se conjuguent l'amusement et je ne sais quelle ferveur. Elle avait bracelets, colliers, oripeaux et des débris de jeunesse à revendre. Quelle malchance que des blattes africaines, toujours prêtes à se signaler là où on ne les convoquait pas, m'eussent privé d'une pareille photo souvenir !

***

Je quittai Galifourou, sa cour, et Nez-creux, le lépreux chaleureux qui avait posé, lui aussi, en pure perte, pour la postérité, et l'homme de Ngabé, malchanceux au jeu du développement photographique comme à celui des cartes assorti de mises à gros risques. Le fleuve Congo nous reprit. Jusqu'à Brazzaville, je ne retins plus rien de lui qui fût inoubliable, même pas sa transformation démesurée autour de l'île Mbamou et des îlots qui lui font cortège. Hippos, crocodiles, marabouts ne m'avaient alors apporté que de fugaces sensations.

Et cette capitale, comment l'aborder, comment la prendre ? Elle m'apprit d'abord que les hommes et les femmes noirs qui la peuplaient affichaient un goût pour le costume infiniment plus prononcé qu'à M'Pouïa. Cela n'allait pas sans des compositions vestimentaires des plus variées et des accoutrements de bric et de broc. Le commerce de la friperie devait être florissant. Certains portaient beaucoup plus beau que d'autres. Ils savaient être *kitoko*. Du chic au débraillé, tous les habillements passaient devant les yeux. Ils ne me consolaient pas des quasi-nudités de la plupart des autochtones m'pouïais.

Parmi les nombreux Africains qui vaquaient à leurs occupations ou baguenaudaient par les rues de la cité, des marchands ambulants tranchaient avec le reste de la population. J'entendis qu'ils savaient être commerçants dans l'âme, ces Haoussa répandus dans une bonne partie de l'Afrique noire. Ils pratiquaient l'art de vendre un peu de tout en discutant à l'infini. Le marchandage donnait lieu à des échanges de compliments et d'insultes qui ne prêtaient pas à conséquence. Le vendeur disait : « *Ma* », mettant l'objet en main. Le client potentiel répondait : « *Na lingi té* » (je n'en veux pas). Cette fin de non-recevoir n'empêchait en rien de longues discussions sur le prix des marchandises proposées. A la première annonce, succédait une réplique immédiate : « *Yo moybi mingi* », autrement dit « toi, très voleur ». Mais personne, de part et d'autre, n'avait à se formaliser. Du *lokouta* (mensonge) volait dans l'air brazzavillais pour pimenter convenablement l'échange verbal. Et des confections encore typiquement africaines passaient de main en main. Le commerce haoussa avait de beaux jours devant lui.

***

Je n'avais guère l'occasion de m'y attarder. Ma mère se rendait sans moi à ses rendez-vous médicaux. Pendant ce temps, je filais le parfait amour avec une petite fille d'un an mon aînée, prénommée Nicole, dont les parents portaient un nom très vieille France, à l'écart des négrillons locaux alors qu'ils constituaient, à M'Pouïa, ma compagnie habituelle. A Brazzaville, semblait-il, on se commettait moins. Les ethnies se confortaient à part, dans le monde des Blancs comme dans celui des Noirs. Il y avait des clans et il y avait des castes, de belles âmes et au moins autant d'esprits tordus. Parmi les gens qu'il me fut donné de côtoyer fugitivement, un exhibitionniste permanent (au sens acceptable du terme) aiguisa mon attention. Des graphies que je ne pouvais encore déchiffrer ornaient son front. Ayant demandé le sens de ces tatouages indélébiles, je reçus une réponse surprenante : « Il a fait inscrire, sur le devant de sa tête, en grosses lettres : toujours plus haut. » Cette fière devise ne pouvait pas passer inaperçue. De même, nul n'ignorait, puisque l'olibrius se vantait de ce verdict du hasard, qu'il se trouvait au Congo après décision sans appel d'un pile ou face. Au cas où sa pièce serait tombée à l'envers, il aurait rallié le Klondyke avec la même absence d'états d'âme.

Cette voyante profession de foi fut exprimée en ma présence, au restaurant du Plateau, chez Buchmuller, près de la terrasse sur laquelle se penchait un rideau de bambous.On y rencontrait aussi des gens culturellement plus intéressants. J'y fis la connaissance du journalisme en la personne d'un idéaliste besogneux, au sens critique toujours en éveil, qui élaborait et diffusait un périodique d'avant-garde pour l'époque : « L'Étoile de l'A.E.F. », directeur Maurice Delétoile. Après avoir pris par la main le fils d'un ami cher, il lui fit visiter les locaux de son journal et sa modeste imprimerie.

Comme le cléricalisme ne faisait pas forcément bon ménage avec Maurice Delétoile, ma mère voulut, pour ne vexer personne, me faire connaître la supérieure de la Congrégation des sœurs de Saint-Joseph-de-Cluny dont la réputation de sainteté ne se discutait pas. La mère Marie m'invita, à trois ou quatre reprises, à passer la journée dans son sanctuaire où je retrouvai avec bonheur la possibilité de fréquenter assidûment des négrillons, de toute évidence évolués ceux-là puisqu'ils portaient chemise et pantalon contrairement à ceux de M'Pouïa. Ainsi, le fils d'un mécréant sans sectarisme qui, de Monseigneur Augouard à

Monseigneur Guichard, avait eu des rapports amicaux avec l'évêché de Brazzaville, devint-il le petit chouchou d'une mère Marie débordante d'attentions. Cette religieuse en chef me fit déguster, entre autres gâteries, des brochettes de passereaux pris à l'aide d'une glu locale avec absolution apostolique. Les petits oiseaux malmenés du bon Dieu assurèrent donc le régal du futur dirigeant d'une ligue (alors déjà créée) attachée à la préservation de l'avifaune française et mondiale.

***

Presque tous les particuliers plus ou moins visités quand ma mère me traînait derrière elle subissaient des contraintes de voisinage et d'étiquette qui, les moiteurs climatiques aidant, les laissaient rarement sereins. Des femmes privées des délices m'pouïaises de l'élevage, de l'activité potagère et de la participation attentionnées à la vie des autres passaient de la langueur ennuyée à l'état de nerfs incontrôlé dont le premier boy venu encaissait les conséquences. Ma mère fut gênée quand ce genre d'humeur se donna libre cours sous mes yeux sans qu'on pût lui reconnaître l'excuse de la maladie du sommeil. On ne m'avait pas accoutumé à cela à M'Pouïa, qu'il y eût ou non de l'orage dans l'air.

Il y avait aussi des cas forcés de non-insertion. Celui qui me frappa le plus impliquait deux victimes des annonces matrimoniales du « Chasseur français ». Que disait le libellé ? De gros mensonges assurément. A savoir qu'un broussard chevronné (amoindri par le paludisme, rescapé de la bilieuse, lassé des maîtresses noires mais ne précisant rien de tel), replié à Brazzaville où il gérait un magasin après avoir vécu le Congo le plus insalubre et le plus retiré, s'était mis en tête de jouer les Roméo exotiques à la faveur d'une formulation séduisante. La Juliette qui repéra cette offre, veuve depuis deux ans après avoir soigné un mari tuberculeux, répondit en faisant ressortir au présent le meilleur d'elle-même dix ou quinze ans plus tôt. Les photos échangées par correspondance étaient criantes d'antériorité. Mais allez savoir, à de si longues distances ! On tricha de part et d'autre, sans vergogne. La séduction réciproque se produisit. Juliette embarqua pour le pays des cocotiers dans la conviction qu'elle prenait une belle revanche sur ses malheurs passés. Mais les lourdeurs équatoriales eurent vite raison de ses faiblesses physiologiques. Le lendemain de son arrivée à Brazzaville, elle fut clouée au lit par une double phlébite. L'administrateur-maire vint unir à domicile les deux tricheurs. A vouloir aider sa compagne d'infortune à se redresser sur son lit de souffrance, l'époux déjà mal en point commit un faux mouvement qui le laissa à son tour dans un piètre état. Enfermé, condamné à la chambre, le couple infortuné apprit, non sans de cuisantes déconvenues, à se connaître dans ses véritables composantes où la condition valétudinaire jouait un rôle primordial. Ma mère venait lui rendre visite pour jouer les aide-soignantes et les garde-malades. Ce passe-temps en valait bien d'autres. Mais comment aurait-il pu me réjouir ? L'ex-broussard intrépide qu'avait connu mon père, au tout début du siècle, dans la Sangha bordée par la grande forêt vierge achevait ainsi sa carrière africaine. Dès que le couple irait moins mal, il quitterait le Congo pour un voyage sans retour vers le pays des platanes et des peupliers. Et jusqu'à la fin de ses jours, Juliette présenterait l'Afrique de l'équateur comme le souvenir qui avait le plus compté dans son existence.

Presque en même temps que le départ des deux tourtereaux sur le retour cruellement dégrisés, ma mère fut autorisée à regagner M'Pouïa. Un traitement de cheval, qui promettait à plus long terme des effets moins bénéfiques, lui avait été administré avec succès. Ouf ! Nous pouvions reprendre le fleuve. Le comité de réception m'pouïais nous ferait une jolie fête. L'allée des manguiers de Brazzaville ne valait pas celle de mon village.

CHAPITRE XV

La factorerie

Il y avait, parmi les passagers, sur le bateau qui nous ramenait à M'Pouïa, une jeune femme dont l'hilarité se manifestait presque en permanence. Elle s'abandonnait à des accès de rire comme d'autres à des quintes de toux. Sa découverte frivole du Congo se confondait avec un voyage de noces. A peine mariée, elle suivait son mari appelé à rallier Bangui. Tout ce qu'elle voyait et ce qu'elle entendait la faisait pouffer en cascade. Et elle ne consentait aucun effort pour se retenir. C'est dire qu'à la longue, on cessait de la trouver drôle. Expansive en diable, elle s'accrochait à quiconque acceptait d'entreprendre avec elle un dialogue qui lui permît de s'esclaffer dans un très bref délai. Ma mère, qui avait commis l'imprudence de lui donner la réplique, ne savait plus que faire pour s'en débarrasser. Or, la joyeuse excentrique entendait bien, à l'escale, mettre les pieds sur le sol de M'Pouïa. Nul doute qu'elle y trouverait, comme partout ailleurs, de nouvelles occasions de se gondoler, ce qui n'amuserait que très médiocrement mon père. Déjà, j'imaginais leur rencontre. Car le sort en était jeté. Elle descendrait et promènerait dans toute la factorerie son intense rigolade que rien ni personne ne pourrait contenir.

D'abord, les choses se passèrent conformément à mon pronostic. La dame rit très vite à gorge déployée. Mondounga la prit pour ce qu'elle était. Mais elle ne s'aperçut pas qu'elle virait franchement au ridicule. Elle voyait du comique partout dans les us m'pouïais, depuis l'*a zali na nguéré* débité en chœur sur la rive jusqu'aux visages noirs rayonnant, à son approche tapageuse, d'une curiosité fort compréhensible en l'occurrence. Il y en avait d'autres, à sa vue, pour se boyauter. Bientôt, tout le village, sur son passage, se déridait largement. Seul mon père, en fin de compte, semblait préférer de plus intéressants sujets de gaieté.

Ce fut en trinquant, au sortir d'une bonne histoire capable de la rendre encore plus hilare, que la pétulante visiteuse fit des vagues débordantes avec le contenu de son verre tandis qu'elle se décrochait la mâchoire. Elle en fut médusée. Une frayeur soudaine transforma sa face. Elle porta les mains à son menton comme pour l'empêcher de tomber davantage. Ne pouvant plus parvenir à s'exprimer correctement, elle laissait la détresse envahir son regard. Que faire ? Mais que faire ? Lui décocher un ou deux crochets retenus, en visant bien ? Personne ne s'y risquait. On lui prodiguait des conseils idiots. De ses mains, elle tentait d'emboîter les deux mandibules pour les remettre en bonne position. Mais en dépit de toutes les contorsions faciales tentées, la malheureuse demeurait la mâchoire pendante. Abasourdie comme tous ceux qui avaient subi sa compagnie, elle devait implorer un secours extraordinaire lorsque surgit un féticheur du village.

Ce personnage représentait-il son ultime chance d'être rapidement délivrée d'un intolérable handicap ? Prévenu par des M'Pouïais ayant toujours l'œil à tout, il venait contempler, paré et grimé comme il savait l'être dans les circonstances solennelles, le phénomène qu'on lui avait signalé. Cette irruption ajoutait au grotesque de la situation. Le féticheur approchait de la grande rieuse punie qui n'en menait pas large. Elle redoutait, à n'en pas douter, je ne sais quel traitement barbare. Et son guérisseur présumé esquissait une mimique en laquelle on reconnaissait, pour le moins, autant de moquerie que d'apitoiement. La dame à la mâchoire démantibulée eut alors un sursaut qui lui fit à la fois relever les épaules et rabaisser le cou tandis qu'elle portait brusquement ses mains au bas des joues dans un geste de catastrophe. La conjonction de ces mouvements commandés par la frayeur réussit le miracle que l'on n'attendait plus de si tôt. Les mandibules de la péronnelle retrouvèrent leur fonctionnement normal. On attribua, bien entendu, cette guérison au pouvoir du sorcier qui fut chaudement félicité. Mais la dame mit un certain temps à se remettre de ses émotions. En tout cas, elle ne parvint pas à éclater bruyamment de bonheur avant d'avoir repris place sur le bateau qui devait la conduire en direction de l'Oubangui.

***

Après cet impromptu, la vie m'pouïaise reprit son cours habituel. Je m'y retrouvais sans regret. Brazzaville ne me manquait pas malgré l'agrément que m'avaient procuré les fréquentations de ma petite amie Nicole, de la Mère Marie et de Maurice Delétoile. En me replongeant dans mon élément préféré, je m'appliquais à le mieux connaître. Jusqu'alors, je ne m'étais pas trop intéressé au fonctionnement de la factorerie. Je me mis bientôt à l'encombrer de ma curiosité. Fourré plus souvent qu'on ne l'aurait voulu dans des magasins, des ateliers ou des entrepôts, je me permettais des indiscrétions dignes d'un futur journaliste.

Une période de grandes pluies favorisa mon implantation dans ces divers lieux. Le stockage du caoutchouc comme celui du kapok prenait une place importante. Il résultait d'opérations de voisinage, poursuivies dans différents comptoirs du fleuve et de ses affluents. Les sociétés installées s'étaient vu attribuer des zones d'influence où leur était reconnue l'exclusivité du commerce avec les tribus en place. Non sans ironie, mon père prétendait que la haute administration avait découpé au cordeau la carte du Congo. Les rapports avec les récoltants locaux de marchandises convoitées ne se passaient pas toujours sans de vilains accrocs sur certaines concessions comme le fit ressortir, en ces mêmes années, André Gide dans son *Voyage au Congo*.

Tout dépendait des qualités relationnelles des acheteurs et prospecteurs. Ceux qui ne savaient pas inspirer confiance rencontraient les pires déboires et aggravaient par l'exaction l'échec de leurs contacts. Dieu merci, les négociateurs de Ngabé, Mabirou, Makotimpoko et autres lieux placés sous le contrôle de M'Pouïa observaient, dans leurs rapports, les leçons de Mondounga. Il n'empêchait que les prix pratiqués à la base supportaient mal la comparaison avec les cours mondiaux au stade supérieur des transactions qui échappait totalement aux premiers acteurs du négoce. Bien des récoltants de caoutchouc allaient dans des massifs forestiers proches de leur village pratiquer des incisions parce que des occupations journalières assez réduites leur laissaient le temps de le faire. Leurs balades en forêt pour s'y consacrer à la collecte d'une sève nouvellement appréciée se traduisaient par des gains, certes maigres, mais dont l'emploi faisait d'eux des néo-consommateurs. Somme toute récente, la notion de pouvoir d'achat embarrassait plus qu'elle ne les servait des hommes encore habitués à couper dans la forêt commune, sans redevance à quiconque, le tronc digne d'être transformé en pirogue tandis que se jouait, en Italie et ailleurs, le drame de « l'arbre aux sabots » après « vol », par un ouvrier agricole complètement démuni, de la matière à travailler pour chausser ses enfants.

*
* *

Au-delà d'une récolte présentée comme un loisir lucratif dans les meilleures situations, les éléments de la rémunération variaient encore selon les zones considérées. A l'époque pionnière, avaient eu cours, comme monnaie d'échange rudimentaire, des fils de laiton recourbés appelés *mitako.* Ceux-ci furent seulement retirés de la circulation en 1912. Dès lors, l'argent d'invention européenne prit place au centre de l'Afrique où l'habitude de son maniement n'entra pas complètement dans les mœurs. La préférence pour le troc ne s'estompa jamais tout à fait dans les villages les plus reculés. La formule se défendait quand l'échange se faisait avec des marchandises vraiment utilitaires. Un sac de sel de vingt-cinq kilos prenait un intérêt très admissible. En fait, le besoin de troquer a prouvé sa persistance, au deuxième degré, par l'achat instantané, dès règlement, de produits souvent moins bénéfiques. Or, toutes les factoreries vendaient des apéritifs et des digestifs. S'en offrait qui voulait. Et l'emploi pratique de certaines rémunérations s'identifiait à l'achat de boissons alcoolisées sans que celui-ci eût été recommandé plus qu'autre chose. A quelques-uns, les distillations de village ne semblaient plus suffisantes. Ils les complétaient grâce à leurs livraisons de ressources patrimoniales découlant, depuis la nuit des temps, de la croissance spontanée.

Toutes ces données, qui n'entrent guère dans la compréhension d'un enfant, finissent par cheminer dans l'homme accompli. La factorerie n'incitait certes pas, loin de là, dans son étalage hétéroclite, qu'à des options néfastes. Faute d'être toujours directement échangé, le sel pouvait être acheté. Mais quels que fussent les choix, l'argent des rétributions revenait à la case départ. Et ceux qui savaient si peu l'épargner devenaient dépendants d'un artifice monétaire dont s'étaient passés leurs ancêtres. Les plus malins d'entre eux n'échapperaient pas un jour à la passion effrénée du lucre.

La contenance des rayonnages du magasin principal ouvert aux Européens de passage sur le fleuve comme aux Noirs du lieu cumulait les avantages contradictoires d'un rangement exemplaire et d'un assortiment des plus curieux. Les lunettes teintées et les coiffures voisinaient avec des pains de savon, des bouteilles de spiritueux, des bassines et des lessiveuses. La nomenclature complète des achats possibles avait un indéniable effet attractif.

Ainsi se dressait un centre d'exposition permanent à distance réduite de boisements qu'animaient des gesticulations de cercopithèques. Assez solidement installée, la civilisation européenne du négoce faisait son trou sur un espace africain pratiquement inconnu moins d'un demi-siècle plus tôt.

***

Outre des nettoyeurs de porcheries, des magasiniers et des manutentionnaires qui veillaient au stockage des marchandises à exporter, assuraient leur conditionnement, effectuaient leur portage jusqu'à la rive pour les embarquements ou leur transfert lors d'arrivages, il y avait, dans la mouvance m'pouïaise, quelques travailleurs spécialisés qui méritaient un coup d'œil particulier. C'étaient de vrais artistes. De leurs mains, ils faisaient de fort belles choses.

Obambi et Ngoliba, les sculpteurs d'ivoire, Bangangoulou bon teint, débordaient de verve dans le choix de leurs thèmes. Toutes les ressources de l'imaginaire africain se traduisaient au bout de leurs doigts.

Les pointes travaillées devenaient des fresques emplies de personnages significatifs ; la présence des uns y expliquait celle des autres. Le python enroulé tout autour de la défense délimitait des intervalles qu'occupaient, ici, un éléphant guilleret à la trompe joueuse agitant une feuille à la façon d'un jongleur, là, un pélican prenant poisson au bec, plus loin, un caméléon guettant le premier insecte venu. Dans le cortège serpentin, l'*Homo africanus* modèle tenait son rôle entre le crapaud-buffle et l'aigle pêcheur.

Une autre composition racontait le fleuve avec le piroguier au voisinage de l'hippopotame et du crocodile affichant sa fonction piscivore. Sur des canines d'hippopotame, ressortaient, par la grâce de l'outil, des porteurs en colonne tenant leur faix sur la tête.

On voyait aussi des pagaies brandies, tenues d'une main ferme, des scènes domestiques – ou osées – de la vie au village et des arrangements relevant de la fable comme celui du serpent mordant l'éléphant à la patte, gueule grande ouverte et l'œil vengeur.

L'ivoire utilisé provenait de chasses européennes soumises depuis peu à des quotas fort difficiles à vérifier mais aussi de trouvailles équivoques donnant à penser que le mythe du cimetière d'éléphants constituait un alibi idéal. Sans doute, ces animaux devaient-ils succomber de leur belle mort à tous les âges, car les pointes travaillées étaient généralement d'un poids modeste ou très moyen. Mondounga qui, depuis l'expérience traversée avec Gankolo, laissait à d'autres la responsabilité de s'en prendre à la faune sauvage, achetait ces défenses à sculpter sans poser trop de questions aux Africains porteurs de ces trophées. Mais au fond de lui-même, cet engrenage ambigu le contrariait. Il me l'a avoué, peu de temps avant sa mort, à la lecture des premiers Cassandre du dépeuplement éléphantin, quasiment adossé à une imposante panoplie d'ivoires travaillés.

On n'en était pas là en 1927, malgré quelques signes prémonitoires. L'éléphant restait relativement prospère. Alors, Obambi et Ngoliba sculptaient nombre de ces incisives plus ou moins arquées qui avaient été détachées de corps privés de la vie. Pour tout outil, ils disposaient d'un canif pointu, fort aiguisé. Le polissage de l'ivoire s'effectuait avec des feuilles dont l'envers rugueux valait bien le papier de verre et qui faisaient partie des gratuités locales. L'ingrédient employé ne provenait pas non plus d'une droguerie lointaine mais procédait des sécrétions de la nature environnante. De la pointe de leur canif, Obambi et Ngoliba en prenaient un soupçon pour faire ressortir des yeux d'animaux ou marquer les plumes des échassiers. Et de reconstituer plus avant des décors de lianes et de feuilles de palmier ou de bananier pour la plus grande gloire des éléphants trépassés dont l'ivoire reflétait une Afrique de l'équateur apparemment immuable dans ses composantes animales et humaines.

Les matières surtout travaillées par Ngolo l'ébéniste étaient des acajous aux teintes variant du jaune réglisse au rouge foncé, de l'ébène très cassante, du bois de fer réclamant un rabotage laborieux. A la demande, cet artisan jamais emprunté savait faire des tables comme des chausse-pieds, des cadres comme des charpentes, des classeurs comme des sièges. D'un citronnier abattu par la tornade, je l'ai vu s'emparer enfin, après délai de séchage, pour en tirer des objets usuels de toute beauté : spatules, cuillères à salade et plats à fruits.

***

A mieux voir ces trois hommes après mon séjour à Brazzaville, je m'aperçus finalement que, tout en restant nu-pieds, ils portaient journellement chemise et pantalon comme les sujets de différentes ethnies croisés dans cette capitale. Ils faisaient contraste, dans le complexe m'pouïais, avec le reste de la population noire, hormis quelques exceptions. De toute évidence, ils cultivaient cette différence dans la parfaite conscience de ce qu'ils prenaient déjà pour une supériorité. Ce petit faible ne les empêchait pas d'être très sympathiques. A mon égard, leur indulgence était sans limite. Ils supportaient ma présence avec une inaltérable gentillesse.

Me dira-t-on qu'ils ne pouvaient faire autrement ? Je n'en crois rien. Mes parents leur intimaient l'ordre de m'éloigner sans ménagement dès que je les gênerais. La consigne demeurait lettre morte. Le petit Blanc, je pense, les amusait énormément avec ses questions saugrenues.

Gampo me laissait d'autant plus m'attarder en cette compagnie qu'elle était celle de gens de son ethnie. Cela comptait par-dessus tout. Ensemble, nous échangions des leçons approximatives de français et de lingala dont j'ai tiré en classe le plus grand profit pour accorder convenablement d'embarrassants participes passés conjugués avec le verbe être. La pratique de ce que d'aucuns appellent dédaigneusement le petit nègre me fut, à cet effet, d'un plus précieux secours que la règle scolaire proprement dite. Pour me rappeler des phrases dignes d'un dialogue avec Ngangia, l'inlassable polisseuse de sculptures – « toi avoir donné du temps *à* toi » ou « toi avoir donné toi au travail » – il ne m'embarrasse pas d'orthographier : « tu t'es donné du temps » ou « tu t'es donnée au travail ». Merci, mille fois merci, conversations m'pouïaises, de cet enviable cadeau.

Un tel avantage aurait-il échappé à André Gide lors de son retentissant périple congolais ? L'auteur des *Caves du Vatican* et de *La Symphonie pastorale* commit en tout cas l'erreur de toucher Tchumbéri au lieu de M'Pouïa, le dimanche 6 septembre 1925. Mon père, assez éclectique dans ses lectures, appréciait surtout l'aura humoristique des *Caves du Vatican*. Il regrettait d'avoir été privé de cette rencontre. La fâcheuse méprise que de s'être arrêté juste en face, *na Boula matari*, pour échanger quelques mots avec des missionnaires de Chicago au français des plus incertains.

Les langues allaient bon train, depuis les incursions gidiennes, sur toutes sortes de petits faits qui les avaient émaillées. Les plus méchantes laissaient entendre que la sélection des porteurs ne comportait pas, pour seul critère, l'aptitude à supporter des fardeaux. Ces allégations toutes gratuites accompagnaient de plus plausibles médisances. Gazengel, qui avait fait naviguer Gide sur une partie de son parcours, garantissait la véracité de certaines d'entre elles. La blague perpétrée dans la Sangha fut d'ailleurs souvent renouvelée à l'intention d'autres gens de passage.

Imaginez une halte entre le sombre de la nuit et celui de la grande forêt. La case réservée à l'illustre visiteur semble à portée d'incursions de grands singes dont les fréquentes visites nocturnes sont évidemment soulignées. On lui conseille, du ton le plus patelin, de ne pas trop s'inquiéter si son sommeil se trouve troublé par le tapage extérieur de gorilles intempestifs. Ils essaient parfois d'entrer mais, jusqu'ici, n'y sont jamais parvenus, précise-t-on avec un détachement de circonstance. Après cette fine préparation psychologique, il ne reste plus qu'à organiser la comédie de primates qui ne sont pas les anthropoïdes auxquels on pense mais savent quand même imiter à merveille leurs cris et leurs pas. Il s'ensuit qu'après une nuit de veille aussi inquiète qu'agitée, l'homme pour qui a été montée cette joyeuse fête n'affiche pas une tête des plus reposées. On lui demande, en toute perversité, s'il a bien dormi sans se soucier de la franchise ou de la pudeur de sa réponse. Et la bonne histoire circule de postes en comptoirs et de factoreries en villes.

Ce canulard, repris dans des formes variées, devint traditionnel dans certaines zones propices à émotions fortes où les premiers safaristes de l'après-guerre venaient chercher le dépaysement. Ils étaient exaucés au-delà de leurs espérances. A la faveur d'un ressourcement sous l'équateur africain, j'ai su ce que valait cette délicate attention entre le Ruwenzori et le lac Kiwou, dans le parc national Albert, à l'est du futur Zaïre. Toute la figuration désirable se produisait dans la nuit afin que nul n'ignorât rien des cris et déambulations d'une faune abondante dont il convenait d'intensifier considérablement le bruitage.

***

Si l'on avait voulu monter une farce pareille à M'Pouïa quand je commençais à y sentir pousser des dents définitives, des dizaines de volontaires se seraient présentés pour faire partie de la distribution. La gaudriole comblait d'aise nombre de ceux qui gravitaient autour des activités de la factorerie. Mais un spleen latent stagnait au fond de quelques êtres. Certains, attirés par un lieu de bonne réputation, avaient quitté un village lointain qu'ils revoyaient en de poignants halos. Le mal du pays les rongeait un peu comme une honte qu'ils auraient mal assumée en retournant d'eux-mêmes au sein de leur famille. Mais le jour les délivrait des malaises de la nuit. Il donnait à leurs pensées un éclairage plus quiet. Pourtant, chez un au moins de ces nostalgiques intermittents, le renouveau diurne cessa de prodiguer ses bienfaits. Il s'assombrit. Ses rapports avec les autres se firent détestables. Peut-être fut-il moqué, taquiné, chahuté. Les brimades ne sont pas uniquement d'essence européenne. Les sévices moraux valent bien ceux qui s'exercent sur les corps. Au beau milieu d'une après-midi, le malheureux sombra dans l'aliénation. On le vit courir, hurler, gesticuler, apostropher les uns, admonester les autres et s'effondrer enfin, cerné par une meute.

Ils mirent peu de temps, ceux qui le rattrapèrent, à percer deux étroits trous circulaires dans le tronc abattu dont le poids retiendrait le forcené aux pieds engagés de force dans les orifices ainsi ménagés. Assis par terre, les chevilles écorchées, le buste dressé, les yeux exorbités, le dément immobilisé, de ses mains restées libres, accusait celui-ci, maudissait celui-là et appelait un troisième à la pitié. Parmi tous ceux qui le voyaient extérioriser sa folie, il y en avait pour se montrer compatissants tandis que d'autres regards brillaient d'une flamme cruelle. Je restais atterré. Gampo me dit « Viens, viens ». Ma mère m'envoya retrouver l'atelier où Ngolo, la pipe et le sourire aux lèvres, faisait de si jolies choses avec le bois de son pays.

CHAPITRE XVI

Tournée en pirogue

Alors qu'il me restait très peu de mois à passer au Congo, Gazengel ne m'avait toujours pas emmené dans l'Oubangui. Ses défections répétées me restaient sur le cœur. Pour m'être plaint de ce manque de parole, je reçus de mon père une offre compensatoire : une tournée avec lui serait-elle pour me déplaire ? Ma mère voulut croire à un propos en l'air. Mais Mondounga la détrompa. Nous étions priés d'approuver le sérieux d'une proposition mûrement réfléchie. Son examen eût pu tourner à la scène de ménage si le chef piroguier mandaté pour emporter la permission maternelle n'avait pas fourni des apaisements décisifs.

Quelques journées en pirogue ne valent-elles pas autant, pour s'imprégner du fleuve et comprendre les terres qui le bordent et les îles qu'il enserre, que des mois de navigation sur un bateau sentant le cambouis ? Mon père défendait ce point de vue plus ancré que jamais depuis son échec dans l'introduction du canot automobile. Vraiment, la femme de Mondounga pouvait avoir toute confiance. Elle se résigna à me laisser faire une longue virée fluviale mais à condition d'embarquer elle aussi.

Nous partîmes donc un fameux matin pour une croisière familiale avec les as de la pagaie afin d'être les témoins d'une inspection rondement menée jusqu'à des affluents du Congo. Les eaux douces équatoriales me portaient. Le courant me parlait de cent mille sources. J'étais aux anges et il y avait de quoi.

Quel équilibriste que ce maître de bord qui se tenait tout à l'avant de la pirogue! Agitant parfois les bras, il commandait le train. Chaque coup de pagaie émanait de ses intonations. Son mot d'ordre toujours repris suscitait des ardeurs collectives agrémentées d'un chant qui vantait la journée et le but du voyage. Des formules enjouées fusaient, au même instant, de bouches autant capables de moqueries que de louanges. Avant d'être une scie, l'entraînement verbal embellissait la capture de chaque seconde rencontrée.

Qui oserait nier que les pagayeurs de l'Afrique des tropiques ont la poésie dans le sang, et le cœur, et les tripes ? Si l'on avait recueilli et conservé toutes les phrases stimulantes ou malicieuses qu'ils ont composées au gré d'inspirations occasionnelles, on posséderait l'un des plus copieux chefs-d'œuvre de la culture humaine. Rarement, l'action physique et l'expression mentale se sont associées avec plus de faconde. Les voix et les muscles se donnent en complète harmonie. Le fleuve est avec ses serviteurs. Ils le célèbrent comme une immense fête, sans désemparer, tout le temps qu'ils le sentent sous eux, devant eux, derrière eux, fendu par leur ardeur inépuisable d'hommes des eaux régnantes.

Les miens se tenaient presque debout. Tout en poursuivant leur athlétique propulsion, ils s'asseyaient parfois sur le rebord de la longue pirogue issue de la forêt et devenue, de par la volonté d'êtres de la rive, un instrument incomparable de déplacement en de grandes avenues et de petites ruelles liquides dont les pulsations rejoignaient les leurs. Seul au bout de la pirogue, faisant face au chef de bord, un Likouba réglait la direction au moyen d'une pagaye assez longue.

***

Il faisait chaud, assez lourd, sous un ciel voilé mais je n'aurais à aucun prix échangé mon sort contre celui de l'enfant le plus gâté de la terre. Au milieu de notre embarcation, abrité comme sous une tonnelle grâce à un cintrage de bois flexibles d'une longueur de quatre mètres, espacés de trente centimètres les uns des autres et recouverts de nattes de bambou et d'herbes de savane, je restais à l'écoute du chœur ambiant des pagayeurs. J'imaginais, comme emporté par leurs accents, des choses que je ne pouvais voir. Cela me menait loin, jusqu'au plus profond de ces eaux que je savais recéleuses de poissons inouïs pour en avoir remarqué quelques-uns, après leur prise, pendus à un portique ou brandis par des pêcheurs qui les soulevaient avec effort.

De ces pièces imposantes, je ne connaissais que les noms vernaculaires ou les surnoms européens. Mais de leur vie dans les eaux, je restais dans l'ignorance comme tous les gens qui les voyaient enlevés à leur élément après avoir été estourbis en force.

Le *njabi* passait pour le roi des poissons de table. Sa chair était très appréciée. Les *Mondélé* appelaient capitaine ce don des eaux tropicales, ce *Lates niloticus* de l'ordre des *Percomorphi* et de la famille des Centropomides ayant la forme d'une perche géante de couleur argentée ou gris clair. A regarder ce que cachait son museau fin, on distinguait des dents petites et nombreuses, serrées comme les poils d'une brosse.

On pêchait parfois un *njabi* pesant des dizaines de kilos. Alors, quel régal en perspective ! Gazengel, en parfaite connaissance de cause, m'avait expliqué la raison de son appellation profane dans la langue des Blancs. Simplement parce que, de tous les poissons que des pêcheurs pouvaient offrir en cadeau à un capitaine de bateau avec lequel ils voulaient tisser de confiants rapports, celui-ci profitait de la meilleure cote. Ainsi en vint-on à désigner du même mot la fausse perche de forte dimension, hôte de zones calmes où ondule sa molle nageoire dorsale, et le maître à bord qui recevait ce *matabis* des plus appréciés.

J'avais vu aussi quelquefois des *mbenga*, dits poissons-tigres, à la gueule terriblement armée, ainsi que d'autres monstres pareils à d'énormes anguilles à forte tête trapue, géants dans un univers qui possédait infiniment plus de nains.

***

Mais pouvais-je me douter que, juste à la même époque, mon presque homonyme Jacques Pellegrin ne cessait de publier des révélations sur la faune ichtyologique du bassin congolais et de décrire des poissons jusqu'alors inconnus d'une Afrique centrale depuis peu pénétrée ? Et de détailler des espèces nouvelles repérées dans l'Ouellé et l'Oubangui. Pas question d'en rester là. Ces eaux fabuleuses devaient livrer d'autres secrets. A Brazzaville, pensez donc, il ne faisait que passer. Son aventure scientifique lui ordonnait de remonter des cours, d'inventorier des pêches, d'interroger des hommes, de faire connaissance avec des vies insoupçonnées. L'année de mon arrivée à M'Pouïa, que faisait-il, Jacques Pellegrin ? Grâce à ses acquis, il livrait sa nomenclature des mormorydes connus du bassin du Congo. Et en 1925, quoi d'autre ? Intervenait, sous sa plume, la mise en évidence des characinidés de la même hydre fluviale. En 1926, l'explorateur inlassable des eaux tropicales faisait connaître un cyprinidé et brossait, par ailleurs, le tableau des siluridés congolais. Puis 1927 lui donnait l'occasion d'en dire davantage sur les cichlidés des eaux équatoriales.

Le poisson-tigre, parlons-en ! Mon initiateur m'épargne peu de détails sur cet hydrocyon goliath taillé pour la course et le brigandage aquatique. La morphologie comparable à celle du saumon de ce characyde aux puissantes nageoires lui permet d'être autant à l'aise aux abords de rapides qu'en eaux calmes. Que voulais-je savoir de plus sur les armes de sa prédation ? Me voici servi : ayant des dents de forme triangulaire situées fort en avant sur la mâchoire et tranchantes sur les bords, il parvient, rien qu'en fermant la bouche, à sectionner des poissons presque aussi gros que lui. Ces dents toujours apparentes, gueule ouverte ou fermée, lui donnent une physionomie vraiment diabolique.

Pellegrin ne s'intéressa pas qu'aux pièces sensationnelles pour pêcheurs sportifs. Il a décrit des sarcodaces ou brochets congolais. Mais y aurait-il des brêmes propres aux mêmes eaux ? Bien sûr, puisqu'il fit connaître le *lianga* (selon la terminologie du pays) ce qui lui permit de s'étendre sur la famille des citharinides et de décrire un individu de couleur claire, fort large, aplati latéralement et doté de dents minuscules. Il a aussi révélé l'existence de cyprinidés voisins des barbeaux – *Labeo* pour le scientifique et *munganza* dans le parler véhiculaire – aux écailles rugueuses, aux nageoires larges et puissantes qui résistent magnifiquement aux courants violents.

Voilà donc, sortis de l'anonymat, des poissons que j'ai vus quelquefois dans des paniers, chez les Boubangui, et d'autres près desquels je n'ai fait que passer en pirogue : malopterures aux redoutables décharges électriques, polyptères revêtus d'écailles en rangées obliques, protoptères qui ont la faculté d'utiliser l'oxygène de l'air comme celui qui est dissous dans l'eau et qui, de ce fait, ne sont pas condamnés à mourir dans des flaques en évaporation au recul des rivières, puisqu'ils s'enfoncent dans la glaise en se ménageant un cocon mucilagineux pour attendre la prochaine crue.

***

Les plus spectaculaires de ces poissons faisaient partie, à un moment ou à un autre, du répertoire roboratif des pagayeurs. Des ajouts s'accolaient au légendaire des eaux africaines. Une très vieille épopée s'enrichissait. La gloire du fleuve resplendissait de plus belle. La chorale de la pirogue, sans changer vraiment ses rythmes, se donnait un supplément d'âme. Elle entraînait le jour au-devant de la nuit.

Mon père choisit un large banc de sable pour le temps du sommeil. Cette décision laissa ma mère songeuse. L'idée de dresser une tente sur une plate-forme à crocodiles ne lui semblait pas très rassurante. Il lui fut démontré que la place était nette et que nulle bête ne s'y aventurerait jusqu'à notre départ. A la vérité, un repos nocturne en intime communion avec le fleuve paraissait préférable à l'organisateur du voyage que toute autre solution. Une tente fut dressée, un feu allumé. Nous disposions de lits de camp. Mon père avait vraiment tout prévu sauf qu'un congrès monstre de moustiques se tiendrait à cet endroit. Avant que nous fussions passés sous des voilages adéquats, nous eûmes à subir leurs assauts. Mais il nous assura qu'il s'agissait là d'une dérisoire péripétie.

Ayant tant bien que mal dormi sur le lit émergé du Congo, nous abandonnâmes de très bon matin la place aux crocodiles pour nous diriger vers Makotimpoko, autre ralliement de moustiques réputé. Cette destination entra dans les formules répétitives des pagayeurs aussi déterminés que la veille à ne jamais se taire tant que la pirogue fendrait les eaux sous leur impulsion.

L'agent de factorerie qui nous accueillit à Makotimpoko passait pour avoir une santé de fer. Il en était à la moitié de son deuxième séjour de trois ans dans ce poste réputé malsain et semblait se porter toujours comme un charme. Pourtant, la pression exercée par des nuages d'anophèles pour dégoûter l'occupant ou le conduire au trépas demeurait très vive. Les diptères sibilants, qui avaient eu raison de quelques autres titulaires, l'épargnaient-ils donc ? Il le prétendait non sans sourire de ce privilège. Ce dur à cuire très éveillé expliquait aussi que le site lui plaisait même s'il n'avait pas besoin d'aller loin pour enfoncer dans des sols pareils à des éponges entre deux débordements des eaux. Ombragé par des cocotiers, environné d'arbres à copal adaptés comme lui-même aux mutations du marécage, il se disait satisfait de son sort tout en conservant une pensée émue pour ceux qui, avant lui, n'avaient pas supporté des conditions climatiques particulièrement éprouvantes. Il honorait scrupuleusement la mémoire de prédécesseurs décédés, à Makotimpoko même, de la malaria ou de la bilieuse avec le concours de boissons gazeuses alcoolisées. Ayant joué victorieusement sa chance en ce séjour pathologiquement dangereux, il se croyait vacciné pour le restant de son existence. Makotimpoko ? Ou l'on en crève ou l'on bénéficie d'une immunisation définitive.

Mon père partageait ce jugement spartiate. Son admiration pour le rescapé de la sélection naturelle qui nous recevait en rendant compte de sa gestion d'une factorerie peu commode à occuper ne faisait pas de doute. Il pensait à lui pour le remplacer à M'Pouïa dès qu'il s'en irait en congé. Mais quel intérimaire témoignerait à Makotimpoko de l'invulnérabilité de ce Toulonnais à toute épreuve ?

***

L'endroit eût pu séduire des naturalistes de la trempe de Jacques Pellegrin. Il invitait à y herboriser savamment. D'ailleurs, pourquoi quelque botaniste dont je n'ai su dénicher les trop confidentielles publications ne se serait pas penché, dans le secteur, sur les merveilles de la végétation palustre tropicale en dépit des moustiques et de pestilences accessoires ? A remonter le Congo pour prendre, à contre-courant, des affluents dont les eaux épousent des couleurs ou les perdent selon les échéances annuelles, on découvre tous les échantillons de forêt galerie, de sylve inondée, de luxuriances marécageuses. L'explorateur spécialisé cherche attentivement des suppléments de flore. Il se déplace à la recherche d'orchidées ou de champignons non catalogués. Le limon des rivières a suscité, ici ou là, des prodiges dont il va se sentir le dépositaire.

J'ai souvent pensé à mon botaniste inconnu qui se serait, par exemple, intéressé à toutes les sortes d'herbes et de plantes terrestres ou immergées auxquelles ont recours les hippopotames de l'N'Kéni à proximité desquels il me fut donné de passer une nuit inoubliable. Cette étape n'était pas prévue dans le plan du voyage qui souffrit, à l'usage, de plus d'une modification. Ma mère avait poussé à la roue pour n'avoir pas à vérifier deux nuits de suite la qualité des moustiquaires de Makotimpoko. Mais pour bien faire, il eût fallu quitter ce poste plus tôt dans la journée. L'achèvement de je ne sais quelles opérations de contrôle en décida autrement. Nous partîmes donc à une heure qui nous obligeait à dormir en pleine nature. Or, les rives interrogées nous parurent soit trop détrempées, soit peu pénétrables et toujours inhospitalières. Cela ne contrariait pas outre mesure mon père que ne tentait aucunement la recherche d'un semblant de clairière au débouché d'un complexe de lianes, de rotangs, de grandes mimosées, de fougères géantes, de ficus et autres gigantismes sylvestres. Il n'aimait plus tellement, même avec un guide sûr, se livrer à des pénétrations forestières, car il ne se remettait pas d'avoir perdu tout repère, quinze ans plus tôt, dans une grande forêt à dominante de bambous. Son errance en compagnie de porteurs aussi désorientés que lui avait duré quatre nuits et quatre jours étouffants, sans ciel à voir. Ils auraient pu mourir là après avoir vainement tourné dans cette prison, sans la proclamation salvatrice d'un coq qui désignait la direction d'une issue habitée mais impossible à détecter du regard.

***

Ainsi décidé à ne plus connaître que des nuits à ciel ouvert, Mondounga nous imposa la solution du sommeil aquatique à bord de la pirogue immobilisée, si l'on peut dire, à très faible distance d'une rive de l'N'Kéni. Personne n'y trouva à redire. L'endroit semblait tranquille. Or, il ne le fut pas. Quand l'ombre vint et nous prit en otages, nous n'eûmes pas que des vols de roussettes et d'intermittents crissements collectifs d'orthoptères pour nous distraire. Une ribambelle d'hippopotames ne tarda pas à nous faire savoir, sans méchanceté directe, que nous nous trouvions en lisière de son espace préféré de gagnage nocturne. Et de passer du bain agité tout autour de la pirogue à la déambulation vaseuse sur la rive nourricière. Ils n'arrêtèrent pas, le long des heures riches en émotions que nous passâmes à côté de leurs ébats, de provoquer des remous gaillards qui berçaient en toute innocence la pirogue quand ils ne la chahutaient pas furieusement. Ma mère pestait. Mon père répétait avec une conviction inébranlable que notre situation vis-à-vis des hippos ne représentait aucunement un cas conflictuel. Nous ne tirions pas sur eux. Ils nous toléraient mais sans oublier de vaquer à leurs occupations habituelles. Mondounga n'ajouta pas « dormons en paix », car nous conseiller le sommeil en la circonstance eût semblé trop cynique. A deux ou trois reprises, ma mère voulut l'interroger sans pouvoir achever sa phrase : « Tu crois que... » Non, il ne croyait pas. il restait exemplairement détendu. « Des hippos, répétait-il, n'attaquent que si l'on s'interpose entre la rive et l'eau. Or, nous leur laissons la voie libre. » L'observance d'une neutralité tacite – et réciproque – se prolongerait jusqu'au matin. Bien sûr, ils auraient pu faire basculer notre embarcation en pratiquant, juste au-dessous d'elle, le gros dos à plusieurs pour remonter à la surface. Mais ils s'en dispensaient car nous ne les gênions pas. Et ils ignoraient que Ngoliba et Obambi passaient une partie notable de leur temps, avec l'agrément de Mondounga, à sculpter les défenses de leurs semblables. Ces hippos de bonne composition, quoique facilement bagarreurs entre eux, pouvaient passer de la pâture aquatique à la dégustation terrestre des feuilles ou fruits accessibles pour leur taille basse et se rendre responsables, dans les eaux de l'N'Kéni où balançait notre pirogue, d'ondes de choc répétées dès qu'ils les regagnaient avec leur légendaire pesanteur. Mon père, bon prince, ne leur tenait pas rigueur. Il leur faisait toute confiance. Nous avions l'enviable loisir d'écouter leurs cris pareils à des plaintes mais néanmoins réjouissants. Même si quelques grognements ponctuaient leur langage, nous ne devions pas nous en inquiéter. Aucune raison ne nous y autorisait. D'autres appels d'animaux qui nous semblaient d'intrigants noctambules ne devaient pas non plus nous déranger. Que dire, tout à coup, de ces bizarres aboiements ? Mais rien, absolument rien de spécial, sinon que quelques sittatungas, ces timides guibs d'eau aux cornes en spirale terriblement effilées à leur extrémité devaient rôder dans les parages en quête nocturne du vivre. « Mais Julien, ce *plouf*, tout près, ce n'est pas un hippo qui l'a provoqué! » J'entends encore la réponse : « Un serpent enroulé dans les branches de la rive a bien le droit de plonger à sa manière pour prendre un bain. »

C'était trop beau. Papa, je t'adore. Mille fois merci.

CHAPITRE XVII

La prière alléchante

Sur la voie du retour vers M'Pouïa, les pagayeurs disaient et chantaient et rythmaient d'autres phrases. Ils se référaient aux *Mondélé na Nzambé*, les Blancs de Dieu, et désignaient Bolobo, siège d'une mission, comme l'objectif à atteindre : une idée comme une autre qui avait dû traverser Mondounga.

Ayant laissé l'N'Kéni derrière nous, la pirogue retrouva un Congo élargi où des îles au fouillis fauve et vert ne laissaient pas pénétrer le regard, contrastant avec la nudité d'autres affleurements. Des oiseaux-serpents tenaient leur vigie et des canards aux ailes soudainement mues comme des hélices s'envolaient à notre approche en émettant un sifflement d'adieu – *ilialui* – si remarquable qu'on ne leur attribuait pas d'autre nom que cette phonétique.

Des arbres à saucisses se dressaient sur des rives. Des branches opulentes se laissaient glisser jusqu'à la surface du fleuve qui recevait au passage des rebuts de ces terres et les emportait avec lui.

Se répondaient et s'enchaînaient les annonces du chef de bord, le cri du barreur et la courte mélopée des pagayeurs. Nous allions donc à Bolobo, Bolobo des *Mondélé na Nzambé*, les *Mondélé na Nzambé* de Bolobo. Le fleuve l'apprenait, le fleuve le sentait, le fleuve le vivait.

Pourquoi cette halte alors que mon père n'entretenait pas de rapports étroits avec les prédicateurs auxquels nous devions rendre visite ?

Eh bien, ils seraient salués au passage mais il s'agissait surtout d'examiner « l'en cas de malheur » avec des infirmiers qui s'épuisaient, en ces lieux, à soigner des malades. De M'Pouïa, il n'y avait pas de plus proche endroit pour trouver un secours médical.

Les hommes de la pirogue évoluaient en se riant d'eux-mêmes, et de nous, et des *Mondélé na nzambé* et des *ngangabouka* dans un labyrinthe constellé d'îlots dont certains prenaient forme de bateaux échoués et d'autres de chapelles végétales offertes aux voix de singes insulaires. Ils s'engageaient dans des chenaux qui, pour eux, n'avaient rien de mystérieux. On approchait. Bolobo le savait ; Bolobo attendait. Le chef piroguier dit : « *Ko tala* ». Et j'ai regardé, comme il me le demandait, se dessiner le poste avec sa mission, son infirmerie, sa structure administrative, en rive gauche du Congo, *na Boula matari*.

***

L'implantation baptiste de Bolobo jouissait d'une ancienneté suffisante pour décourager les religions concurrentes de venir lui disputer des âmes disponibles. Des moyens qui avaient fait leurs preuves lui permettaient de prétendre à l'exclusivité. Le programme céleste promis ne pouvait donner lieu à surenchère. En amont sur le fleuve, la mission catholique qui s'installa à Yumbi eût été bien en peine de promettre davantage. Les animistes qui persistaient dans leurs rites païens séculaires faisaient vraiment peu cas de leurs intérêts éternels.

Mais s'agissait-il avant tout d'arracher des hommes à leur fétichisme et à leurs ordalies ou d'empêcher les tenants d'un autre culte de la constellation chrétienne d'imposer sa présence ? Je me le demande de plus en plus. Derrière telle ou telle influence religieuse, s'en profilaient d'autres. Le partage de l'Afrique empruntait, par ce biais, des voies bien sibyllines.

Certes, sur ce thème, l'on a beaucoup brodé pour s'égarer parfois. La thèse selon laquelle le stupéfiant et héroïque Livingstone s'efforçait de servir l'Intelligence service autant que son Dieu a été avancée à diverses reprises sans qu'on en eût des preuves irréfutables. D'autres missionnaires ont pu être soupçonnés d'agissements plutôt louches. Au début de la guerre de 1914-18, alors que Guillaume II finissait de régner sur le Cameroun, un chaland en dérive contenant des armes et rattrapé près de M'Pouïa avait fait accuser des prédicateurs américains d'origine allemande d'être pour quelque chose dans ce chargement mal amarré. Ce rappel revenait quelquefois dans les conversations. Les occupants de Bolobo en pâtissaient quelque peu sans être le moins du monde responsables d'initiatives attribuées à tort ou à raison à des prédécesseurs.

En tout cas, chaque mission installée s'efforçait d'être largement écoutée en prenant quelques accommodements avec le spirituel. A Tshumbiri, à Bolobo, la Baptist missionary society régnait sans partage, selon l'inspiration de ses représentants. Les couples qui diffusaient un programme pour l'immédiat et l'au-delà venaient du Nouveau Monde. Ils prenaient d'autant moins de peine à travailler au rayonnement de la langue française qu'ils ne consentaient guère d'efforts pour l'apprendre. Leur installation au Congo belge d'alors favorisait ce blocage linguistique puisque les querelles entre Flamands et Wallons se transposaient en plein centre de l'Afrique. Il eût fait beau voir que le français l'emportât officiellement sur le néerlandais chez les Bakuba, les Baboma et les Mabinza. En conséquence de quoi, ces baptistes venus d'outre-Atlantique ne faisaient des progrès que dans l'étude de parlers véhiculaires ou tribaux répandus dans le futur Zaïre. L'honneur flamand était sauf puisque, sur les cartes belges, Oubangui et Ouellé étaient orthographiés Ubangui et Uelle tandis que des éminents représentants de la Baptist missionary society correspondaient et conversaient uniquement en lingala avec mon père, ma mère et toute personne qui ne voyait pas encore dans l'anglais le parler de l'avenir. Ainsi, la Babel africaine paraissait moins insurmontable que celle des langues indo-européennes.

***

La carte du bassin congolais prenait l'allure d'un échiquier de vastes dimensions où se marquaient et se tenaient en respect des cultes exportés d'Europe et d'Amérique avec des Suédois, des Yankees, des Portugais, des Néerlandais, des Français prêchant pour une chapelle ou pour une autre et fermement décidés à ne pas se faire de cadeaux. Dans les endroits où ils voisinaient sur un espace restreint, la guerre de positions inavouée rappelait le face à face du temple et de l'église dans certains villages cévenols incomplètement remis des dragonnades de Louis XIV. Les autochtones ont regardé et arbitré la confrontation en des lieux témoins comme Lukolela, près du confluent de la Mossaka et d'un Congo dont l'amont s'étrangle entre deux falaises : Mission catholique des Pères lazaristes et des mères de la charité rivalisant, dans l'habileté apostolique, avec la très répandue Baptist missionary society.

A un autre niveau, celui des États, il n'en était pas allé autrement. A part quelques exceptions comme celle de René Caillé, les explorateurs avaient essayé de se repérer dans les immensités africaines sans sacrifier uniquement à une passion personnelle de la découverte. Ils se conduisirent en agents d'une patrie, ou en tout cas d'une nation, dans une haletante course de vitesse. Colonnes civiles et colonnes militaires s'étaient pressées avec une fiévreuse énergie, face aux obstacles naturels, en essayant de se concilier les bonnes grâces des tribus rencontrées.

Derrière les avancées héroïques de pions manipulés, prévalait le souci, non point de se constituer un empire mais d'empêcher le voisin de s'en tailler un de trop grande dimension. Vainement, la France se proposa surtout d'étendre son rayonnement de l'Atlantique à l'océan Indien pour que le projet victorien d'une Afrique orientale allant du Caire au Cap sous la houlette de sa très gracieuse majesté ne s'accomplît pas. Les deux visées, plus défensives qu'offensives pour le positionnement de l'une et l'autre des parties, devaient fatalement finir par se croiser. La périlleuse jonction se fit à Fachoda, sur le Nil, comme chacun sait, après remontée, par les Français, du Congo, puis de l'Oubangui et pataugeage dans les papyrus du Bahr-el-Ghazal. Il n'est pas interdit de penser que, dans cette affaire, quelques missionnaires des mieux intentionnés avaient su se conduire en précieux éclaireurs.

Les principales reconnaissances avant découpage éhonté de l'Afrique servaient des ambitions stratégiques avant la mise en évidence, dans la foulée, de la notion, fallacieuse à certains égards, d'intérêt économique. Quant aux accords de partage comme celui auquel se résignèrent, peu avant la Grande Guerre, la France et l'Allemagne, pour la région de la haute Sangha, frontalière du Cameroun et du Congo français, ils n'allaient pas sans quelques coups bas perpétrés par la suite sur le terrain en mêlant des tribus à des rivalités auxquelles celles-ci ne comprenaient rien. Le clou de ces intrigues fut évidemment la levée locale d'Africains, d'abord pour les faire participer, les uns contre les autres, au conflit mondial sur leur continent, puis pour envoyer de grands diables des ethnies bambara, toucouleur et sarakolé sur le champ d'honneur européen.

On sait que ces peu reluisantes implications n'ont pas cessé aux approches du XXIe siècle puisque font fureur, sous des couvertures idéologiques, de malsains affrontements, des confins soudano-tchado-libyens au Mozambique et de l'Éthiopie à l'Angola, au cours desquels ne manquent pas d'être attisées de très vieilles haines tribales pour les besoins de la cause.

* * *

A Bolobo, en 1927, j'étais forcément inapte à apprécier cette sournoise compétition dans toutes ses dimensions et dans toutes ses potentialités.

Je ne voyais que des *Mondélé na Nzambé* qui annonçaient la couleur de leur expatriement au Congo. D'autres eussent satisfait d'une manière moins explicite à cette question posée un jour par une jeune négresse crânement ingénue : « Pourquoi les Blancs sont-ils venus ici ? Ils n'ont donc rien à manger chez eux ? » A l'échelon des individus, les réponses relevaient de bien d'autres histoires : l'éloignement voulu d'une famille abusive, celui des mesquineries d'une petite ville, le besoin de cautériser une blessure sentimentale, le goût de l'aventure, le sens du devoir, la lecture de *Poèmes barbares* de Leconte de Lisle ou celle du *Journal des Voyages*, le besoin de faire comme Rimbaud après avoir jeté sa gourme, le rêve de gagner gros et d'être bien servi, l'idéalisme fragile tapissé d'amis d'une autre couleur. Bref, beaucoup de belles pensées et d'autres moins nobles, beaucoup de sophismes et autant de peu scrupuleux arrivismes, tout un creuset d'angélisme et de sordides aspirations.

Semblait-on loin de tout cela chez ces baptistes où l'on appelait à prier comme nulle part ailleurs ? Ceux-là devaient penser qu'un prêche de caractère presque électoraliste avait de meilleures chances d'emporter l'adhésion qu'un simple étalage de bons sentiments orientés vers le divin. Plutôt que de s'en tenir à un message altruiste et à des leçons de morale, ils faisaient connaître les enchantements d'un monde évidemment paradisiaque selon des définitions propres à frapper les esprits. La prière conduite devenait un dialogue pour lequel les fidèles ébahis avaient appris les réponses. Poli, mis au point, publicitairement réglé, celui-ci entrait dans l'affirmation régulière. A force d'être répétés, des axiomes prenaient forme et faisaient image. Le matérialisme pénétrait le spirituel et les inventeurs du système n'y voyaient pas de dévergondage. *N'zambé* se confondait avec un Père Noël s'intéressant tout autant aux grandes personnes ravies d'être promises, pour la longue période post mortem, à des délices charnelles améliorées par rapport à celles d'ici-bas.

***

Cette assurance méritait considération. La prière de Bolobo jouait à plein. On aimait à se la répéter et à se la rappeler. C'était un délassement très goûté. La fréquentation de la mission n'en avait que plus d'intérêt. Le baptiste officiant choisissait son moment pour poser, après psaume, la pertinente question : « *Nzambe ko loba nini ?* »

Que dit le bon Dieu ? Mais on allait le savoir. Rigide dans ses expressions comme dans ses gestes mais bientôt sensuel dans ses sous-entendus, il s'apprêtait à incliner la tête pour approuver l'opinion de ses ouailles entretenue à loisir. Celles-ci débitaient d'une seule voix un couplet qui revenait à affirmer : « Sur terre, tout est mauvais. » En revanche, le bon, le *malamu* se trouvait évidemment dans une nébuleuse bien différente dont l'évocation réclamait des détails néanmoins très concrets.

On n'attendait pas longtemps pour en être informé.

La suite des répliques d'origine divine que tenaient en réserve au bord de leurs lèvres les néo-baptistes emplissait le temple après un claquement des mains donnant opportunément le signal de la reprise.

Très disert, le bon Dieu, apprenait-on, disait encore que là-haut, au ciel, on ne travaillait pas. Il était formel : « *Na likolo ko sala té.* »

Cette précision provoquait, à tout coup, le ravissement. Les yeux s'élevaient vers le plafond. Des bouches restaient, un instant, tout ouvertes. Il y avait du plaisir dans les yeux. Seuls, ceux du couple missionnaire ne riaient pas. Le meilleur restait à mettre en évidence. Après cet avant-goût, le plat de résistance céleste. Enfants, femmes et mâles adultes, préparés à le faire comme précédemment, répondaient à l'invitation d'en dire davantage. Ils ouvraient la bouche pour mâcher des syllabes comme des caramels avec l'au-delà en ligne de mire : « *Malamu yonso, biloko mingi* » – tout est bon, il y a beaucoup de choses.

La leçon portait. Le clergyman contrôlait l'effet produit. Il lui semblait tout à fait satisfaisant. Son épouse marquait son contentement sans se départir d'une honnête rigueur. La fidélité de leur clientèle ne faisait plus de doute. Foin, pour elle, pensaient-ils, de pratiques animistes inavouables. Ils ne se trouvaient pas en vain à Bolobo où coulait un Congo qui rimait avec gogos. Partie gagnée, leur dévouement méritait récompense. Sur terre comme au ciel, on les jugerait aux résultats enregistrés. Un petit morceau d'Afrique se donnait à eux. Qui l'aurait nié ? Qui serait venu leur disputer la palme ?

Convaincants annonciateurs d'un pays de cocagne pour l'heure inaccessible mais combien prometteur, interprètes de *Nzambé* sachant prendre leur public avec tout le respect qui lui était dû, ayant appris aux membres d'un peuple nu à endosser pudiquement des fripes, lui laissant espérer la plus gracieuse opulence, ils osaient dès lors réclamer, de leurs ouailles, le rappel de perspectives finales offertes comme des certitudes.

Point besoin d'insister pour l'entendre, émaillé de mots alléchants comme *kwanga*, *nyama*, *mbizi* et *mwasi*.

Nzambé affichait donc sa munificence en annonçant, pour là-haut, du manioc, de la viande, du poisson à profusion et de nombreuses femmes.

La nouba perpétuelle en somme, sans avoir à lever le petit doigt. Tout le monde aurait large part, sans chicane. Mais pour atteindre à cette félicité, il fallait quand même consentir quelques sacrifices; être docile en acceptant, en complément de la réjouissante récitation, des oraisons plus orthodoxes. Il importait d'y venir. On passait aux choses sérieuses. Le baptiste en mission de longue durée ouvrait sa bible presque machinalement mais la lisait à peine tant il l'avait en tête. Les versets qu'il livrait flottaient dans un air lourd et interpellaient la conscience africaine incomplètement revenue d'une planète fabuleuse. Il y avait là des négrillons béats, des femmes bizarrement parées, des hommes aux tatouages en relief acceptant l'augure de richesses à foison, des recéleurs de fantasmes et des auditeurs d'histoires racoleuses.

Pendant ce temps, *Nzambé* se dissimulait derrière une voûte de plomb où la tornade se tenait en suspension. On ne savait quand viendrait l'échéance de ses faveurs incommensurables. Le Congo foncier, ajoutant foi à la parole transmise, l'attendait avec une curiosité intéressée. Des tapotements protecteurs sur des joues de petits drôles concluaient chaque office. Le message passait assez bien pour que des missionnaires de confessions concurrentes, mis au courant du stratagème, fussent jaloux de ses résultats sans oser pourtant y avoir recours.

CHAPITRE XVIII

Le retour

Qui me dira pourquoi il ne me reste rien du jour où j'ai quitté M'Pouïa ? Un voile opaque recouvre ce que fut, là-bas, mon ultime journée. Aucun recel d'images vécues ne me rappelle les préparatifs du départ, les adieux, l'embarquement, les chants qui, certainement, durent l'accompagner. J'ignore les derniers mots que j'ai prononcés avec Gampo. Je ne me vois pas lui dire au revoir. Il semble bien qu'une force intérieure refuse d'avaliser cette rupture.

M'Pouïa m'a parlé et me parle souvent. Des scènes de jadis me restent toutes fraîches. Par elles, ma part d'enfance congolaise se garde de l'oubli. Rien ne change, rien ne s'estompe de ce que j'ai retenu. Mes récits l'attestent. Le fou aux jambes prises dans un tronc percé, les déchaînements autour de la panthère capturée, l'allée des manguiers barrée par la colonne des fourmis magnans, les funérailles nocturnes au village des Batéké, l'irruption du sorcier devant la fofolle à la mâchoire décrochée se conservent irréductiblement au présent. Il me paraît probable que mes dernières pensées d'homme en vie épouseront encore ce déroulement.

Je crois que l'ultime scène m'pouïaise à s'accrocher dans ma tête se rapporte à une grande première. Un ronron dans le ciel avait semblé insolite en un jour où l'air n'était pas gravement orageux. L'étrangeté de ce bruit fit lever les têtes vers l'endroit d'où il venait. Bien qu'il se situât dans les nues, on ne conversa pas avec *Nzambé*. Un engin curieux, très curieux s'y déplaçait. Les copains négrillons et moi-même le prenions pour une nouveauté. Des yeux tout ronds la suivaient. Les moins jeunes et les anciens faisaient de même mais sans manifester un étonnement excessif. Jamais auparavant, un avion n'avait été vu, à cet endroit, au-dessus du fleuve. Dès lors, nous découvrions une invention appelée à entrer progressivement dans le commun des choses en un réduit d'Afrique ouvert à l'extérieur depuis si peu de temps. Elle fut accueillie avec un mélange d'amusement et de fatalisme. Un homme trouva, en désignant du doigt l'appareil volant qui se déplaçait dans les airs, une formule merveilleusement imagée : « Oh ! *Maswa na mopépé* », le bateau de l'air. Un autre ajouta, mais sans extérioriser une admiration délirante : « *Mondélé mayélé mingi* ».

Ayant donc banalement dit que les Blancs étaient très savants, il se détacha de ce point prêt à se perdre dans les nues et s'en alla vers son monde de tous les jours.

D'énormes appareils peuvent bien aujourd'hui ouvrir leur grande carcasse : ils ne m'éloignent pas du *maswa na mopépé* révélé dans le ciel congolais en un jour pourtant comme les autres. Je l'ai saisi au passage pour l'engranger dans un espace de pensée déjà fort meublé. Et il vole toujours au-dessus de M'Pouïa.

Ce n'est pourtant pas à lui que je tiens essentiellement. Du Congo de l'enfance, je revois plus souvent des geckos que réanime, au soir, la lumière des photophores et des margouillats du jour circulant sur la toile métallique de la véranda. L'intimité de ces instants me démontre pourquoi certaines enfances sont impossibles à désagréger. Les lions du Kenya ou du Cameroun ne comptent qu'en me ramenant à ceux dont les voix parvenaient de lointains tout proches à mon oreille en la nuit m'pouïaise. Mon sésame des spécificités africaines d'aujourd'hui provient des acquis de jeunes années qui n'ont que faire du sophisme de Tarzan et des bouffonneries de Daktari.

***

J'ai donc quitté M'Pouïa sans m'en rendre compte. Mais je n'ai pas tardé à en prendre conscience. Ce fut comme si l'on m'avait drogué et endormi pour me faire abandonner les lieux. Cela me parut inconcevable. J'ai pris d'abord très mal un transfert effectué apparemment à mon corps défendant. Au terme de ce passage à vide, de nouveau confronté pour peu de temps à Brazzaville, je pouvais réagir. De cela, je me souviens parfaitement. Je fus odieux. Pour n'avoir rien pressenti de tel, ma mère ne savait plus à quel saint se vouer. Entre autres performances, je me permis de gifler un monsieur au retour d'une promenade dans sa voiture, le long du pool, sous prétexte qu'il me secouait trop vivement pour m'enlever de la place que je voulais conserver à côté du chauffeur. Je payai chèrement ce scandale pour lequel j'entendais avec aplomb que l'on me demandât pardon.

Allais-je désormais me conduire comme un sauvageon ? On le crut après un transfert ferroviaire entre des pans de forêt aux branches ruisselantes de verdure.

Sur le « Tchad », le bateau de l'océan, l'incident se reproduisit sans que j'eusse, cette fois, la très relative excuse d'être molesté par un type atrabilaire. Non, simplement, alors que je tapotais sur le piano du bord, un monsieur très bien élevé me dit qu'il voudrait, à son tour, en faire autant et me poussa doucement. Il n'en fallut pas plus pour qu'il reçût une taloche de ma part. Cette fois, c'en était trop, beaucoup trop. La correction que me valut ce haut fait resta inégalée. Après une bonne journée de honteuse consigne dans ma cabine, je fus pris en main par mon père qui trouva les mots qu'il fallait pour que l'impact m'pouïais ne me rendît pas définitivement impossible à vivre.

Que me dit-il ? Sans doute que la vie m'apprendrait vite à ne pas voir seulement M'Pouïa au monde. Comme dérivatif, il y avait, pour l'heure, l'océan. Me le rappelais-je ? Avais-je quelque souvenance du paquebot *Elisabethville* de la Compagnie belge maritime du Congo, parti d'Anvers, trois ans plus tôt, le 1er juillet, avec moi à son bord. Non, n'est-ce pas ? Pourtant, je m'étais trouvé alors, comme en ce nouveau voyage, sur une île flottante et mobile. Les horizons marins se donnaient, cette fois, vraiment à moi qui me confiais à eux. J'écoutais cette invite : « Il y a de l'iode à respirer et c'est autrement meilleur que l'air de M'Pouïa. » Des conseils complémentaires m'étaient prodigués : « Aspire bien, gonfle tes poumons. » J'obtempérais tout en enregistrant un mot neuf : « C'est vivifiant, tu ne crois pas ? »

De concert, nous cherchions des messagers du ciel et des suiveurs de la mer. Mon père me désigna des oiseaux pélagiques qu'il identifia de manière tout à fait erronée en me faisant prendre des fous masqués et des fous de Bassan aux splendides plongeons en piqué pour de vulgaires goélands. Leurs numéros célestes me purifiaient comme l'escorte océanique des marsouins. Oui, le poids de M'Pouïa devenait supportable. Je ne ferais plus d'esclandre. Je me conduirais correctement. Et quand j'aurais le cœur lourd, je demanderais à des ailes voyageuses de l'alléger. Elles me rendraient sûrement ce service et je leur en saurais gré.

A bord, un phonographe tournait à l'enseigne de la voix de son maître. Deux rengaines faisaient fureur. « Ah ! qu'il était beau mon village » et « Valencia ». Quand des pétrels ou des fous de la pleine mer m'avaient revigoré, je me retrouvais avec ces refrains auxquels je donnais un sens très personnel. Mon beau village s'appelait M'Pouïa et non point Paris. Mais j'écoutais quand même. La terre exquise où la brise berce les fleurs d'oranger me rappelait des arbres auxquels je tournais le dos.

A la longue, je ne me sentis ni triste ni gai. Je muais. Ma vie changeait de cap, voilà tout. La grand-mère dont on m'annonçait les retrouvailles aurait fait partie de ces personnages fictifs dont on essaie de composer le portrait en fonction des aventures qu'on leur prête si l'on ne m'avait montré sa photographie à plusieurs reprises. Elle m'attendait ; l'école aussi. J'étais prévenu. Il faudrait rattraper le retard, mettre les bouchées doubles. Entrer en scolarité à plus de sept ans relève de l'exception. Et plus encore si l'on avoue qu'on revient du Congo où l'on a appris doublement à compter sur le tas : un, *moko,* deux, *mibale,* trois, *misatu,* quatre, *minei,* cinq, *mitano,* etc. Ne me regarderait-on pas comme une bête curieuse ?

Cette échéance ne me tracassait quand même pas exagérément. Mais nimbée d'imprécision, elle ne m'enthousiasmait guère. Simplement, elle m'intriguait. Je n'ai pas dit « qui vivra verra » mais j'ai dû le penser.

Mes cures d'Atlantique sur le pont du *Tchad* concouraient de plus en plus à mon rééquilibrage. Des oiseaux du large m'aidaient journellement à reprendre de la hauteur. J'en vis de nouveaux après chaque escale dans des ports comme Conakry et Dakar où de volubiles africains urbanisés venaient faire le siège des passagers. Et presque au bout de la troisième semaine, j'appris que nous allions bientôt accoster à Bordeaux. Si cette transition océanique avait pu durer plus longtemps, je ne m'en serais peut-être pas plaint.

Après le débarquement, mon père, tout guilleret, nous annonça qu'il connaissait un bon restaurant et qu'il faudrait absolument s'y rendre. Pourquoi pas ? On n'y mangerait pas du python au pili-pili ou du bifteck d'hippopotame mais ce serait sûrement très bon. D'ailleurs, rien de plus normal que de choisir alors des plats dont on a été privé pendant longtemps. Il y en avait un que mon père appréciait tout particulièrement : le pis de vache, cuisiné en tranches, à la poêle, assaisonné d'ail et de persil. Ce morceau seulement estimé par une infime minorité de consommateurs s'appelle, chez le tripier, de la tétine. Mais mon père ne comptait pas sur un restaurateur, même bordelais, pour le lui servir. Il préféra passer commande à sa mère dans ce but légitime et le fit par télégramme. Cela donna la formulation suivante : « Arrivons demain matin. Stop. Tétine. » La demoiselle qui enregistra le message à la poste dut tressaillir imperceptiblement en se figurant en face d'un monsieur plus enclin aux allusions polissonnes qu'aux formules plus communément affectueuses.

Nous montâmes dans un fiacre. Un partisan du moteur à crottin ne pouvait faire moins. Et j'appris le Bordeaux des allées de Tourny et de la rue Sainte-Catherine à la faveur d'une journée presque aussi remplie, quoique de manière toute différente, que la nuit aux hippos dans l'N'Kéni. La soirée s'acheva, comme prévu, dans un bon restaurant. Mais nous y fûmes servis en retard et les intervalles s'allongèrent entre les plats.

A la sortie, mon père voulut absolument reprendre un fiacre pour aller à la gare. On attendit un peu un véhicule libre et la course traîna je ne sais plus pourquoi. A l'arrivée, restait une petite minute pour monter dans un wagon. Ma mère et moi courûmes jusqu'au quai pendant que mon père réglait le cocher. Puis nous sautâmes dans un wagon que le chef de famille ne put rattraper à temps. Il resta donc en rade avec les billets en nous adressant des signes désespérés. Le délai d'attente du manquant à la gare suivante fut suffisamment long pour que la dégustation familiale, chez ma grand-mère, de la tétine poêlée à l'ail et au persil subît un ajournement d'une demi-journée.

La cocasserie de ce contretemps me réjouit. On eût dit qu'il avait été manigancé pour m'aider un peu plus à tourner la page congolaise. Quelque temps plus tard, on voulut me retremper dans un terroir maternel dont je ne conservais nul souvenir. En délaissant le lingala pour entendre des intonations occitanes aux confins des Cévennes, de la Margeride et du plateau ardéchois, ma vision du monde s'élargit assez agréablement.

Début octobre, je connus enfin l'école. Mais quelle ne fut pas ma surprise d'y rencontrer un petit camarade que j'aurais aussi bien pu fréquenter à M'Pouïa. Il était seul de sa couleur et représentait une rareté parisienne en 1927, surtout dans un établissement distingué du 7e arrondissement. D'instinct, je me rapprochai de lui. Et nous nous raccrochâmes l'un à l'autre comme pour nous soutenir mutuellement dans l'épreuve qui s'annonçait. Il se prénommait Hubert. Sa mère était morte ou avait disparu quelque part entre la Sangha et l'Oubangui. Son père, grand chasseur, comme l'indiquait le nom de baptême choisi pour le fils, avait arraché très tôt l'enfant à sa terre natale dont il ne possédait pas la moindre expérience. Pourtant, dans la classe, sitôt rompues les timidités de la rentrée, tous les copains voulurent l'interroger sur son pays. On l'assaillait de questions qui l'auraient laissé fort embarrassé s'il n'avait eu la ressource de se référer à mes toutes chaudes connaissances. Alors, sans avouer aux autres qu'il disposait d'un souffleur, il m'abordait discrètement pour me demander comment, dans son pays, on disait ceci et l'on faisait cela. Je le renseignais bien volontiers en l'aidant à retenir des mots lointains qu'il répétait, tout imbu de l'originalité qui s'attachait à lui, avec une expressive docilité, à quelques mètres de moi. Et je me divertissais de le voir et de l'entendre raconter une Afrique dont il revendiquait l'entière possession.

Cette situation était fort plaisante. Le départ de mes parents rappelés par le Congo quelques semaines plus tard le fut infiniment moins. Confié à ma grand-mère, je ne devais plus les revoir pendant près de trois ans. Cette fois, c'était un taxi qui attendait en bas. Dans l'émotion de la séparation, mon père avait omis de prendre son pardessus. Quand il s'aperçut de cet oubli, le courage lui manqua pour revenir en arrière. Il chargea le chauffeur de monter le quérir.

Dès que je sus écrire, mon dialogue avec M'Pouïa donna lieu à bien des lettres. Il s'en passait des choses là-bas : une épidémie de fièvre jaune, une recrudescence de la maladie du sommeil qui frappait ma mère pour la seconde fois et éprouvait aussi mon père, vingt-huit ans après sa première arrivée sous l'équateur. Gampo me disait *mboté* et je disais *mboté* à Gampo mais le bonjour de l'un comme celui de l'autre mettait un mois pour toucher son destinataire.

Quand il me fut donné de remettre, après guerre, le pied en Afrique centrale, j'eus envie de revoir M'Pouïa. Mais je n'ai pas osé. J'y ai pensé à Brazzaville en visitant Ste Anne du Congo pour sa consécration avec ses messes au tam-tam et ses autels tribaux ; à Bangui aussi, quelques années après le dernier balisage de Gazengel, cette velléité m'a traversé. J'aurais pu. Mais après hésitation, j'ai renoncé à descendre jusqu'à l'endroit, entre l'N'Kéni et la Léfini, où je m'étais complu à écouter des voix multiples de la nature sauvage. L'avion, le bateau de l'air, le *maswa na mopépé,* c'est si pratique pour éviter les détours préoccupants et pour conserver un semblant de confort moral.

Les trois quarts de mon lingala se sont volatilisés, surtout depuis la mort de ma mère. Qu'importe, le peu que je conserve me tient compagnie avec une certaine idée de l'Afrique presque vierge et de ses entités révolues qui me paraît tout à fait désuète.

Mini-glossaire

Biloko	Objets, choses.
Kitoko	Chic, élégant.
Ko tala	Regarde.
Kwanga	Manioc.
Ma	Tiens, prends.
Mabi	Mauvais.
Malamu	Bon.
Maswa	Bateau.
Matabis	Cadeau.
Matiti	Herbe.
May	Flaque, eau.
Mayélé	Débrouillard, savant.
Mbizi	Poisson.
Mboté	Bonjour.
Mingi	Beaucoup.
Mokalé	Femme (chez les Batéké).
Moké	Peu, petit.
Mondélé	Blanc.
Mondélé na Nzambé	Missionnaire.
Mondoki	Fusil.
Mongenga	Médicament, amulette.
Mopépé	Air, vent.
Mosika	Loin.

Mwana	Enfant.
Mwasi	Femme.
Ndoki	Diable, mauvais sort.
Ngangabouka	Médecin.
Ngoy	Panthère.
Nguma	Python.
Nkosi	Lion.
Njabi	Capitaine (poisson).
Nyama	Viande, animal.
Nzambé	Dieu.
Nzoku	Eléphant.
Potopoto	Terrain boueux, marécage.
Tala	Voir, visiter, voici, voilà.
Tala-tala	Lunettes ou porteur de lunette.

Table des matières

Cet ouvrage a été réalisé sur
Système Cameron
par la SOCIÉTÉ NOUVELLE FIRMIN-DIDOT
Mesnil-sur-l'Estrée
pour le compte des Éditions Arthaud
en mai 1990

Imprimé en France
Dépôt légal : mai 1990
N° d'édition : 2050 – N° d'impression : 14349